Mares/Schubert

Sneller zeilen

mares/schubert

SNELLER ZEILEN
met open boten

vertaling / jaap a.m.kramer

De Boer Maritieme Handboeken

ISBN 90 228 1125 5

© 1972 Delius, Klasing & Co, Bielefeld,
Berlin
© 1973 Nederlandse uitgave: Unieboek,
Bussum

Inhoud

Voorwoord

Steeds weer valt het ons op - op welk vaargebied we ook zijn - hoeveel fouten er op zeilboten worden gemaakt. Niet alleen door pure plezierzeilers, maar ook op de wedstrijdbanen. Daarbij hebben we vaak het gevoel, dat deze zeilers heel precies weten waar het op aankomt - in theorie! Maar ook de beste theoreticus zal pas succes hebben, als hij zijn kennis in praktijk weet te brengen. En omdat dit juist bij het zeilen het punt is waar het om draait, was het ons streven om in dit boek de praktijk zo aanschouwelijk mogelijk voor te stellen - zonder echter de theoretische achtergrond te verwaarlozen.

Voorwaarde voor een boek zoals dit is natuurlijk een duidelijke en begrijpelijke manier van uitdrukken en een overzichtelijke indeling. En deze eis bracht ons tenslotte tot een indeling, die vrij ongebruikelijk is. Want de twee hoofdpunten trim en techniek, die anders meestal apart worden behandeld, zijn hier tot één centraal thema samengevoegd. Juist in een puur praktijkboek zijn deze beide begrippen, die in een voortdurende wisselwerking tot elkaar staan, gewoonweg niet te scheiden.

Natuurlijk, in ons geval was deze conceptie betrekkelijk gemakkelijk te realiseren, want het thema dat dit boek behandelt is duidelijk afgebakend. Het gaat om de juiste beheersing van moderne zwaardboten, zowel toerboten als echte wedstrijdboten. Daarbij gaan wij er echter wel van uit, dat de lezer al over voldoende basiskennis beschikt. Het is dus geen boek voor beginners. Want de hier behandelde onderwerpen, trim en techniek op zwaardboten, worden zo diepgaand en uitvoerig mogelijk behandeld. Daarbij baseerden wij ons op de nieuwste ontwikkelingen - zonder echter in pseudowetenschappelijke veronderstellingen te vervallen.

Uit de aard der zaak heeft dit boek de wedstrijdzeiler meer te bieden dan de pure toerzeiler, ofschoon we het eigenlijke wedstrijdzeilen slechts inleidend behandelen. Zouden sommige eigenaars van toerboten zich daardoor wat verwaarloosd voelen, dan vragen wij hen zich te realiseren dat de kunst om een boot snel te maken in de eerste plaats een kwestie is van uitrusting. Aan de rompvorm is nu eenmaal niets meer te veranderen en een toerboot wordt nu eenmaal vanuit andere gezichtspunten ontworpen dan een wedstrijdboot. Maar iedere boot, hoe ook gebouwd, heeft zijn optimale snelheidsbereiken en hoe gedifferentiëerder en duurder de uitrusting is, des te meer kan men die snelheidsgrenzen benaderen.

De basisprincipes van de boottrim zelf en ook in hoge mate die van de zeiltechniek, blijven echter voor alle soorten midzwaardboten hetzelfde. Dat eigenaars van wedstrijdboten dus meer uit dit boek kunnen halen dan pure toerzeilers, is uitsluitend een gevolg van het feit dat wedstrijdboten meestal beter zijn uitgerust en daardoor meer mogelijkheden bieden.

De opzet van dit boek is dan ook om voor iedere stuurman en fokkemaat het hogeschoolzeilen met midzwaardboten zo uitgebreid mogelijk, maar tegelijkertijd ook zo ongecompliceerd mogelijk te brengen - en dat is toch weer een gemeenschappelijk belang voor zowel wedstrijdzeilers als toerzeilers.

Want zijn boot beheersen en de snelheidsmogelijkheden optimaal benutten - dat is tenslotte de wens van iedere serieuze zeiler, ongeacht hoe goed zijn boot is uitgerust.

Uwe Mares/Kurt Schubert

Welke boot voor wie?

Ruw geschat heeft een vierde of een derde deel van alle botenkopers vroeger of later (meestal echter vroeger) spijt van de keuze. Reden: zeer vele aankopen komen onder druk tot stand. Hetzij door tijdgebrek, of door financiële druk. Dikwijls koopt men in een spontane bui of op een andere niet overwogen manier.

Vaak - en dat geldt vooral bij tweedehands boten - laat men zich te gemakkelijk verleiden tot een compromis. Resultaat: de leef- en vaareigenschappen die pas na het aanschaffen van de boot duidelijk worden, stemmen niet overeen met de - vaag voor de geest staande - persoonlijke verwachtingen. Aan de andere kant is dat ook geen wonder, want het grote aanbod van verschillende typen is veel minder overzichtelijk en doorzichtig, dan bijvoorbeeld op de automarkt. En dat helpt ook al niet mee de keus te verlichten.

Het enthousiasme voor de nieuwe boot flauwt snel af als men na enige tijd moet vaststellen dat een andere boot veel meer beantwoordt aan het intussen gerijpte en duidelijker geworden beeld dat men van de ideale boot heeft. Want juist bij het kopen van de eerste boot is, bij gebrek aan praktische ervaring, de voorstelling nog wat vaag; hij wordt pas wat preciezer, wanneer de nadelen van de nieuw gekochte boot bij stukjes en beetjes aan het licht komen. Daarom gaat het bij het kopen van een boot op de eerste plaats om het nauwgezet toetsen van enige belangrijke punten.

De persoonlijke instelling

In de eerste plaats hebben we te maken met geheel subjectieve ambities; bovendien met de vraag, hoe wij de zeilsport willen beoefenen. Houdt men ervan topprestaties te leveren - of zoekt men heel eenvoudig slechts rust en ontspanning op het water? In het algemeen zal een jong gezin niet bijster enthousiast zijn voor een gevoelige wedstrijdboot; daar tegenover zal een jonge, van energie bruisende knaap er niet voor voelen in een solide gezinsboot te zeilen. En wie weliswaar een gezin heeft, maar toch graag sportief wil zeilen, hoeft echt nog niet tot een van deze uitersten te besluiten. Er zijn beslist sportieve boten die ook aan de primaire eis van een gezinsboot - veiligheid en comfort - in hoge mate voldoen.

Men kan dan ook drie typen midzwaardboten onderscheiden:
a. puur sportieve wedstrijdboten;
b. sportieve, maar toch ook relatief veilige toerboten;
c. veilige en comfortabele gezinsboten.

Staan echt sportieve ambities voorop, dan ligt de koop van een rasechte wedstrijdboot voor de hand; deze keus hangt in zekere mate ook af van leeftijd en lichaamsconditie. Vaak wordt in dit geval de kwestie van een fokkemaat over het hoofd gezien. Deze maat is op zo'n wedstrijdboot méér dan alleen maar iemand die meevaart en daarom vanzelfsprekend ook vrij moeilijk op te scharrelen. Twijfelt men, dan zal ook de eenmansboot in de keuze betrokken moeten worden; bijvoorbeeld de olympische Finnjol of de eveneens internationaal zeer verbreide O.K.jol.

In deze categorie vallen natuurlijk ook de meeste wedstrijdliefhebbers en deze moeten zich nog vóór de koop één ding duidelijk voor ogen stellen: hoe meer verbreid en hoe bekender een klasse internationaal is des te duurder is zo'n type in de regel.

Een goed voorbeeld is de olympische Flying Dutchman, waarvan de prijs al lang niet meer in een reële verhouding staat tot wat hij biedt - tenminste niet als hij in optimale uitvoering moet zijn. Daarbij is er een groot aantal in prijs relatief goedkopere wedstrijdboten, die minstens even grote wedstrijdactiviteit beloven. Voorwaarde is in elk geval, dat men eerst gaat informeren op de wateren waar men eventueel wil gaan zeilen, welke van de meest verbreide klassen

voor dat gebied het meest geschikt zijn.

Wie evenwel geen wedstrijdambities heeft en er zeker van is dat hij ze later ook niet zal krijgen, hoeft niet per se tot een van de ingevoerde klasseboten te besluiten. Ofschoon ze vaak aan het idee gekoppeld worden, dat ze op grond van hun grotere verbreiding ook noodzakelijkerwijze beter zouden moeten zijn. Dit klopt echter wel, voor zover het de ontwikkeling van details betreft; wedstrijdboten worden voortdurend verbeterd. Aan de andere kant zijn er beslist boten, die nog niet tot een erkende klasse behoren maar toch prima geconstrueerd zijn. Ze hebben in de regel zelfs het voordeel, dat ze vrij gunstig in prijs liggen. Men doet er verstandig aan

De Flying Dutchman, sinds 1960 olympische klasse, geldt als de meest geperfectioneerde en snelste wedstrijdboot ter wereld. Hij werd in 1952 door U. van Essen ontworpen en is 6,05 m lang, 1,80 m breed, heeft een zeiloppervlak van 15 m² en een gewicht van 160 kg. De snelste FD's worden bijna uitsluitend van plakhout gebouwd.

zulke nog weinig verbreide werfklassen eens kritisch onder de loep te nemen.

Wie sportief wil zeilen, maar niet al te veel van acrobatiek houdt, zal daarentegen de voorkeur geven aan een sportieve toerboot. Dat is vooral aan te bevelen, als vrouw en kind ook dikwijls meezeilen en dat stelt dan natuurlijk tevens hogere eisen aan de veiligheid.

Bij boten van dit type moeten sportiviteit en veiligheid even zwaar wegen. Ze zijn vaak ideaal voor binnenmeren, omdat ze ook bij licht weer goed lopen en toch betrekkelijk veilig zijn. Voornaamste kenmerken van deze boten zijn: een stabiele romp door een breed uitlopend onderwaterschip of zelfs een knikspantvorm;

en een kuip met gangboorden en een voordek; een relatief groot zeiloppervlak, om een goede snelheid te behalen. Meestal wordt van trapeze en spinnaker afgezien.

En tenslotte is er nog de groep kopers bij wie het in de eerste plaats gaat om comfort en veiligheid en pas in de tweede plaats om snelheid. De voor deze groep geschikte gezinsboten zijn vaak voorzien van een kleine buiskap of zelfs van een kleine kajuit en ballastzwaard. Ze zijn echter in geen geval zo ruim als men zich dat dikwijls voorstelt. Integendeel: de meest geslaagde typen wijken dikwijls maar weinig af van de zuiver op sportiviteit gebouwde boten. Overigens is in

Dit boottype, een Jeton, is daarentegen nog onderaan de officiële statusladder. Maar hoe meer boten er van zo'n nieuw type in de vaart komen, des te groter wordt de kans op nationale en internationale erkenning.

Met het oog op het steeds toenemende gebrek aan fokkematen, winnen eenmansboten aan populariteit. Rechts boten van de sinds 1952 olympische Finn-klasse en links een Europa Moth, die naast de in knikspant gebouwde O.K.jol de meest geliefde niet-olympische een-mansboot is.

deze categorie niet alleen het aanbod het grootst, maar ook het gevaar van een miskoop. Want onder het bijna onover-zienbare aantal typen schiet de kwaliteit niet zelden tekort en beproefde klasse-boten komen nauwelijks voor. Hier is een vakkundig onderzoek wat betreft con-structie en uitrusting practisch onmis-baar.

Wie niet beschikt over de nodige kennis - en dat is bij veel mensen het geval omdat een exacte beoordeling tamelijk moeilijk is - moet op andere middelen teruggrijpen. Hij zou het oordeel moeten vragen van zoveel mogelijk objectieve mensen die òf zelf zo'n boot hebben, òf er op een of andere manier ervaring mee hebben op-gedaan. Wellicht is er al eens in een tijdschrift over gepubliceerd - ongetwij-feld een goede methode om een duidelijk beeld te vormen.

Een samenvatting van al deze informaties, in combinatie met het eigen onderzoek, zal doorgaans voldoende zijn voor een

Comfort staat bij deze pure gezinsboot op de voorgrond. Even belangrijk is ook de factor 'veiligheid', dus voldoende reserve-drijfver-mogen en een grote stabiliteit.

veilige beoordeling. Want op prospectussen kan men lang niet altijd blindvaren. Ze prijzen natuurlijk uitsluitend de positieve eigenschappen van de boot aan en daarbij niet zelden zelfs eigenschappen, die de boot op grond van zijn totale conceptie, zelfs niet kán hebben.

Tenslotte kunnen we nog een groep boten noemen die weliswaar kleiner is dan de eerder genoemde typen, maar als ontwerp vrijwel hetzelfde: de jeugdboten. Alleen boten zoals de Optimist zijn totaal anders gebouwd. Voor kinderen tot een jaar of tien vormt hij een ideale basis om de zeiltechnische beginselen te leren. Maar ook in de eenvoudig zelf te bouwen Piraat hebben al duizenden kinderen het

Gezinsboten hebben vaak slechts een kleine buiskap (foto boven) of ook wel een echte kajuit (foto links). Omdat men op zulke boten meestal tamelijk veel bagage meeneemt, heeft men ook wel wat bergruimte nodig.

De Sailhorse is een in Europa al veel voorkomende snelle boot, met een geballast zwaard. Dat geeft extra stabiliteit, waardoor het tevens een fijne toerboot is.

15

zeilen geleerd. Degene, die Piraat of Optimist te klein gaat vinden weet meestal intussen wel wat hij wil: b.v. de Youngster, de Vaurien, of de Flipper. De Youngster heeft in ieder geval het voordeel dat hij ontworpen is naar de ideeën van een moderne wedstrijdboot. Alleen de trapeze ontbreekt nog, maar de spinnaker behoort wel tot de uitrusting.

Voor jongelui vanaf 16 jaar die deze boten zijn ontgroeid, is de verdere weg al min of meer afgebakend. Voor hen komen - als ze een wedstrijdcarrière ambiëren - eigenlijk alleen de internationale wedstrijdklassen in aanmerking.

Een goede boot om het échte wedstrijdzeilen mee te beginnen is bijvoorbeeld de 420-klasse. Hij heeft een snel groeiende

De plaatselijke omstandigheden

Zijn de gedachten eenmaal zover bepaald, dan moeten we proberen ze in overeenstemming te brengen met de plaatselijke omstandigheden in ons zeilgebied zoals trailerhellingen, ligplaatsen, winterberging, en niet te vergeten de kosten, die daarmee zijn gemoeid.

Wat de plaats betreft; op een klein meer met overwegend zwakke wind hoeft men aan de factor 'veiligheid' niet zo'n hoge waarde toe te kennen als op ruimer water. Een handzame toerboot, die op ruim water

internationale verbreiding en een goede klasse-organisatie. Hij is groot genoeg voor het echte wedstrijdzeilen, maar tevens klein genoeg om hem met een beperkt lichaamsgewicht in bedwang te kunnen houden. Bovendien ziet de klasse-organisatie er nauwlettend op toe, dat de kwaliteit hoog en de prijs zo laag mogelijk blijft.

als kleine gezinsboot veel te gevaarlijk is, kan op een ongevaarlijke plas precies de ideale boot zijn. Ook informaties over de overheersende weersomstandigheden in het betreffende gebied zijn niet overbodig. Wie lid wil worden van een zeilclub, zal meestal eerst vragen met welke klassen in de club vooral wordt gezeild. Kiest men een boottype waarvan er reeds een aantal

De Optimist is de boot voor kinderen die over de hele wereld het meeste voorkomt. De schouwachtige vorm geeft hem voldoende

stabiliteit. Rechts een Youngster, heel geschikt voor jongelui van 11 tot ongeveer 16 jaar, die de Optimist ontgroeid zijn.

een niet te zware boot kiezen, want hulpvaardige handen of een goede helling zullen niet altijd ter beschikking staan. Voor een ligplaats in een haven zijn kunststofboten het meest geschikt; een boot van plakhout laten we liever niet een heel seizoen in het water liggen. Wie genoodzaakt is zijn boot vaak met de auto te vervoeren, mag zich bij de aanschaffing niet laten verleiden tot een boot die gemakkelijk op het autodak gaat. Veel boten worden daarvoor aangeprezen, die toch niet voor transport per autodak geschikt zijn. Nog afgezien van het feit dat die voordelen toch een kwestie van smaak zijn. De gewichtsgrens van zo'n boot ligt n.l. al gauw bij de 60-70 kg rompgewicht. Echte gezinsboten, die nog

in de club aanwezig is, dan zal men zelf ook de snelste vorderingen kunnen maken.

Wie zijn ligplaats op de wal heeft, moet op een autodak vervoerd kunnen worden, zijn er dan ook net zo min als wedstrijd-boten, ook al beweert men in de prospectussen nog steeds het tegendeel.

De 420-klasse behoort tot de sterk groeiende wedstrijdklassen. Hij is van een volledige wedstrijduitrusting voorzien maar kan ook door jonge, lichte personen worden gezeild.

De 470-klasse is - nu hij als olympische klasse is aangenomen - sterk in opkomst. Het KNWV gebruikt de 470 als trainingsboot voor wedstrijdzeilers.

17

De romp en het beslag

Bouwmaterialen

Rompen van open boten worden tegenwoordig bijna uitsluitend vervaardigd van kunststof - doorgaans polyester of ABS - of van watervast multiplex. Terwijl polyester voluit 'met glasvezel versterkte polyesterhars' genoemd zou moeten worden, gaat het bij ABS om een zuiver chemische verbinding, n.l. Acrylonitril-butadieen-styreen. Van houten gangen gebouwde rompen kunnen we gerust als uit de tijd beschouwen; dat sluit echter niet uit, dat er nog altijd genoeg liefhebbers voor zijn, die de nadelen van zo'n boot graag op de koop toe nemen. Zelfs het tijdperk van de rompen van in de vorm verlijmd fineer (plakhout) lijkt naar zijn eind te lopen, hoewel de beide olympische klassen, de FD en de Finnjol, nog overwegend van plakhout worden gebouwd. Dat gebeurt echter uitsluitend op grond van de toleranties bij de bouw. Want beide typen werden door de betreffende ontwerpers speciaal voor de bouw in plakhout ontworpen en lenen zich daarom - vooral de FD - niet erg goed voor de bouw van gewapend polyester. Overigens zijn de voordelen van kunststof -ook op economische basis - overduidelijk. Dat wil niet alleen zeggen dat kunststof boten gemakkelijk in onderhoud zijn en tevens duurzaam, maar ze zijn ook goedkoper. De bouwwijze in gewapend polyester komt het meeste voor; daarbij worden met de hand-lay-up methode glasweefsel en -matten doordrenkt met polyesterhars. Daarnaast werd nog vrij kort geleden een materiaal ontwikkeld dat ABS heet; het is een thermoplast, dat wil zeggen dat het na verwarming blijvend vervormbaar is.

Boten van ABS worden uit standaard platen gevormd; ten opzichte van polyester boten hebben zij het voordeel dat ze vanwege het werkprocédé van constante kwaliteit zijn.
Wie uitgesproken wedstrijdambities heeft en besluit tot het bestellen van een boot van een bekende wedstrijdklasse, moet al bij de opdracht met de werf overeenkomen, dat de boot wordt gebouwd met het in de klassevoorschriften bepaalde minimumgewicht, inclusief alle vast gemonteerde beslagen. Want vooral een plakhouten boot wordt in de loop der tijd steeds zwaarder, maar nooit lichter. En iedere kilo teveel is doodgewicht dat, omdat het niet verplaatsbaar is, ook niet als trimgewicht kan worden gebruikt.

De constructie van boot en kuip

Of de afwerking van een boot goed of slecht is, valt vooral bij boten van kunststof nauwelijks vast te stellen. Toch zijn er wel punten, waaraan wij de totale kwaliteit kunnen beoordelen. Bijvoorbeeld de stijfheid van romp en dek. Vooral boten met een breed en vlak onderwaterschip hebben daar vaak zwakke plekken, die op golvend water behoorlijk kunnen werken. Het gevolg is niet alleen dat de snelheid afneemt, maar vaak ook dat het laminaat vermoeid raakt. Hierdoor kunnen op die plaatsen kleine breukscheurtjes ontstaan. Om dat te onderzoeken drukt men met de muis van beide handen zo hard mogelijk op die plaatsen, waar de romp aan de binnenkant het minste is versterkt. Daarbij moet de boot wat op een kant worden gelegd, of zonodig zelfs op de zijkant worden neergezet. In ieder geval mogen het onderwaterschip en de dubbele bodem zelfs op de zwakste plaatsen maar heel weinig meegeven.

Een ander precair punt is de veiligheid, waarmee in de eerste plaats het drijfvermogen van de omgeslagen boot wordt bedoeld. Het voorschip zal als regel met een schotje zijn afgesloten; maar men moet ook eens proberen of dit luik door het rubberkoord wel stevig in de pakking getrokken wordt. De bruikbaarste pakking is zacht schuimrubber. Omdat de meeste kunststofboten zijn uitgerust met luchtkasten in de zijden die vaak in een dubbele of halfdubbele bodem overgaan, dus in een twee schalen systeem zijn gemaakt, geldt hetzelfde ook voor de deksels in deze luchtkasten.

Maar wanneer de boot langdurig onder-

steboven ligt of is lekgestoten, kunnen deze luchtkasten vollopen. Daarom moet iedere boot worden voorzien van volkomen veilig extra-drijfvermogen. Meestal worden daarvoor styroporkorrels gebruikt, die het beste in de luchtkasten in de zij en in het voorschip kunnen worden aangebracht, maar niet in de dubbele bodem. Dan behoudt de boot in volgelopen toestand nog een relatief grote stabiliteit en hij wil niet voortdurend opnieuw omslaan, wat wel het geval is wanneer het vaste drijfvermogen voornamelijk in het midden, dus in de dubbele bodem, is geplaatst. Het minimum drijfvermogen moet bij open boten tussen de 120 en 200 l liggen. Bij grotere boten en vooral bij voor het gezin ontworpen boten

Hier hebben we de kuip van een typische wedstrijdboot. Zowel de vorm van de romp als het in ruime mate aanwezige beslag zijn op de eerste plaats op snelheid gericht. Om de zwaardkast de nodige steun te geven werd een dwarsdoft aangebracht, die tevens als zitplaats kan worden gebruikt.

moet het naar verhouding meer zijn.
Boten die niet uit twee schalen zijn samengesteld, hebben toch twee belangrijke punten waarop moet worden gelet: de lijmverbinding van de zwaardkast en van de luchtkasten aan de kuipvloer. Nadat er spanning op heeft gestaan kunnen in deze lijmverbindingen n.l. scheurtjes ontstaan. Juist bij wedstrijdboten met een minimaal gewicht is de sterkte van de zwaardkast ook vaak een teer punt. Hij moet volkomen vastzitten en onbeweeglijk zijn; de zijkanten mogen in geen geval vervormen. Zonodig moet hij met schoren tegen het gangboord en aan de overloopbalk zo goed gesteund worden dat elke beweging uitgesloten is, want de belasting in zeegang is erg groot. Het

Een boot die niet met voldoende vast drijfvermogen is uitgerust zal, als hij lang ondersteboven ligt of lek stoot, tot onder de waterspiegel wegzakken. Dat maakt niet alleen het verder zeilen onmogelijk, maar tevens wordt het bergen van de boot daardoor erg moeilijk. Soms kan zo'n situatie levensgevaarlijk worden.

Op deze foto zien we daarentegen een eenvoudig uitgeruste, kleine allround-boot voor een eveneens klein gezin. De ruim van banken voorziene kuip is niet alleen gemakkelijk, maar ook veilig. De brede, hoog opgetrokken en daardoor stabiele romp verhoogt deze veiligheid. In de achterbank is zelfs een afsluitbare bergplaats.

21

zwaard moet weliswaar gemakkelijk in de kast heen en weer bewogen kunnen worden, maar het mag geen zijdelingse

Voor een optimale verhouding van lengte, breedte en dikte van zwaard- en roerbladen zijn exacte gegevens bekend. Interessant is daarbij, dat zwaard- en roerblad van zowel de beide olympische zwaardboten als ook van verscheidene internationaal bekende typen niet aan deze gegevens voldoen. Het hieronder afgebeelde roer is zowel in zijaanzicht als in dwarsdoorsnede goed geprofileerd.

speling hebben - want ook dat vermindert weer de snelheid.

De kuip met het beslag

Zowel uit de indeling van de kuip en de vorm van het dek en de binnenromp als uit de opstelling en uitvoering van het beslag blijkt, hoeveel een ontwerper van te voren over zijn boot heeft gepiekerd. Terwijl een wedstrijdboot natuurlijk een veel duurder beslag heeft, staan bij goed ontworpen gezinsboten alle factoren die het comfort en de veiligheid dienen voorop: bijvoorbeeld gemakkelijke, brede banken en een hoge, massieve kuiprand, die zowel voor rugleuning als voor windscherm dient. Dat betekent natuurlijk niet dat de zeileigenschappen verwaarloosd mogen worden; maar enige concessies in hun nadeel zijn nauwelijks te vermijden.

Een groot aantal van de details waarop moet worden gelet geldt voor alle typen zwaardboten. In de eerste plaats - om bij de spiegel te beginnen - de roerconstructie. Op- en neerhaler voor het roerblad moeten even vanzelfsprekend zijn als een borg op de spiegel tegen het uitvallen van het roer bij omslaan; anders kan in zo'n geval de hele zaak eruit schuiven of zelfs onder water verdwijnen. Een verlengstuk op de helmstok met handige klem voor het wegklappen mag - tenminste op sportieve boten - net zo min ontbreken als een voor het overhangen goed afgeschuind en afgerond gangboord op de plaats van de stuurman. Ze zijn op dit soort boten even belangrijk als verstelbare en voor stuurman en fokkemaat gescheiden hangbanden. Bindsels en stukjes schokkoord zorgen ervoor dat ze omhoog worden gehouden. Let er ook op, of de grootschoot over voldoende schijven loopt en goed kan worden belegd, want anders zullen wij er bij veel wind weinig plezier aan beleven. Een anti-slip kuipvloer en een goed ruwgemaakt dekgedeelte voor de trapezeman kan men intussen eveneens als vanzelfsprekend beschouwen. En een gemakkelijk te bedienen en effectieve giekneerhouder, goede klemmen voor de fokkeschoot en een zo goed mogelijk verstelbaar leioog voor de fok zijn op gezinsboten vrijwel net zo onmisbaar als op een wedstrijdboot. Ontdekken wij daarentegen slecht gemonteerde beslagen met vele scherpe kanten, uitstekende bouteinden of gebrekkig vastgeboute wantputtings, dan hebben wij alle reden om te twijfelen. En wij kunnen er tamelijk zeker van zijn, dat het verdere onderzoek ook niet gunstig zal uitvallen.

Juist bij sportieve boten zijn zuiver afgeronde luchtkasten in de zij buitengewoon belangrijk. Om zo lang mogelijk te kunnen overhangen zonder veel energie te verspillen moet de boot ook met verstelbare hangbanden zijn uitge- *rust. Een over voldoende schijven gevoerde grootschoot (zoals op de foto) draagt er eveneens toe bij, dat het zeilen bij harde wind geen kwelling maar een echt genoegen wordt.*

Tuigage en zeilen

De mast met staand en lopend want

Materialen en profielen

Als men zich de romp als carrosserie voorstelt, dan vervult de tuigage met de zeilen de functie van de motor. Het zeil, en indirect ook mast en giek evenals staand en lopend want, zorgen voor de voortstuwing. Terwijl aan de vorm van de romp niets is te veranderen, kan door trimmen van de tuigage de snelheid worden beïnvloed, niet alleen positief maar ook negatief. Het is dan ook geen wonder, dat op dit gebied al van meet af aan intensief is geëxperimenteerd en onderzocht. Dat een FD tegenwoordig minstens de helft sneller zeilt dan in zijn beginjaren, is bijna uitsluitend te danken aan nieuwe inzichten betreffende de samenwerking van mast en zeil.

Houten masten behoren nu definitief tot het verleden. Aluminium masten en gieken beheersen niet alleen de wedstrijdsector, maar ook het pure spelevaren. Zelfs op de goedkoopste boten wordt aluminium thans vrij algemeen toegepast, en door verandering van de klassevoorschriften mogen ook op boten van de traditionele olympische klassen aluminium masten worden gebruikt.

Metalen masten hebben tegenover houten masten in de eerste plaats hetzelfde voordeel als kunststofboten ten opzichte van houten boten: de grotere duurzaamheid. Daarbij komt het geringe onderhoud, want de geperste aluminium pijp is geëloxeerd; daardoor gaat het zelfs onder voortdurende invloed van zout water niet oxyderen. Het bij een houten mast gevreesde kromtrekken door weersin-

vloeden of door foutieve ondersteuning, is hier eveneens uitgesloten.

Dat wil intussen niet zeggen, dat onder de metalen masten geen kwaliteitsverschillen bestaan; want naast het juiste mastprofiel, dus de dwarsdoorsnede, komt het ook nog aan op een zuivere legering en een goede sterkte. Dat houdt weer in, dat de mast voldoende gehard moet zijn. Anders kan hij, als hij door een of andere oorzaak eens zeer sterk doorbuigt, die vorm behouden en hij laat zich dan moeilijk terugbuigen.

Een aluminium mast heeft derhalve zowel in het gebruik als bij de fabricage zijn eigen problemen. Maar is hij eenmaal kaarsrecht uit de spuitgietpers gekomen en voldoende uitgehard en goed geëloxeerd, dan is zijn levensduur vrijwel onbeperkt. Dit in tegenstelling tot een houten mast, die vaak al na twee of drie jaar de eerste vermoeidheidsverschijnselen vertoont. Hij wordt dan steeds zwakker en kan in een harde vlaag plotseling breken. Aluminium is tegenwoordig dan ook het meest geschikte materiaal voor het maken van masten, hoewel er nog genoeg wordt geëxperimenteerd met andere materialen en procédés. Maar voor mastenfabricage in serie is men met de tot nu toe bereikte resultaten nog niet ver genoeg.

Een goede aluminium mast is steeds een geslaagd compromis tussen een zo klein mogelijk gewicht, geringe windweerstand, laag gewichtszwaartepunt en juiste waarden voor sterkte en weerstandsmoment. Het resultaat is een reeks van de meest uiteenlopende profielen, dus dwarsdoorsneden, waarvan elk zijn voor- en nadelen heeft. Vooral één profiel is er

Bij de foto op pag. 25: tegenwoordig vormen mast en zeilen een onafscheidelijk geheel. Deze wederzijdse onafhankelijkheid is zelfs zo groot, dat ook topzeilers vaak een heel seizoen of langer in de wedstrijden maar één stel
zeilen gebruiken als dat goed harmonieert met de mast. Een goed allround-zeil kan tegenwoordig aan een goede mast voor iedere windkracht in de goede vorm worden getrimd.

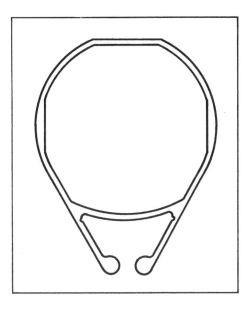

ingekomen - het bestaat uit een cirkel, die echter van achteren in twee naar elkaar toe lopende flanken overgaat. Bij dit profiel is het metaal goed over de omtrek verdeeld en daardoor heeft het een groot weerstandsmoment. Bovendien spaart men gewicht, doordat men vrij geringe wanddikten kan toepassen. Dit profiel blijft niet van onder tot boven even dik, maar wordt boven het aangrijpingspunt van het voorstag conisch verjongd. Hierdoor kan de masttop beter naar achteren en naar opzij doorbuigen, wat ook weer bij harde wind een voordeel is. Wat betreft de buiging en stijfheid van de mast, daarvoor geldt de vuistregel: een buigzame mast voor een lichte bemanning - en een stijve voor een zware bemanning (meer hierover in het volgende hoofdstuk).

Veel metalen masten zijn tegenwoordig gevuld met styropor schuim als drijfvermogen; dat wordt in korrelvorm of als een in profiel geperst stuk in de mast geschud of geschoven. Veel masten worden ook helemaal volgeschuimd. Dat voorkomt echter niet, zoals veelal wordt aangenomen, dat de boot eenmaal omgeslagen doordraait; het dient alleen als hulp bij het weer oprichten. Er kan dan n.l. weinig of geen water meer in de mast komen en de bemanning van de omgeslagen boot hoeft bij het weer oprichten minder gewicht omhoog te brengen.

Verstagingsmoeilijkheden

Nog niet zo lang geleden maakte men van de verstaging hele toestanden, om de buiging van de mast in elke mate onder controle te kunnen houden. De masten zelf waren natuurlijk erg dun en licht. Deze rage is langzamerhand weer aan het verdwijnen, omdat men merkte dat al dit extra staande want zoveel kleine wervelingen opwekte, dat de windstroming langs het grootzeil er nadelig door werd beïnvloed. Een kleiner gewicht en kleinere windweerstand van de mast konden de nadelen van deze windturbulentie niet goedmaken. Men stelt zich daarom meestal tevreden met zalings, die in de lengte op trek of druk van de wanten kunnen worden belast, en waarvan de instelhoek in horizontale richting verstelbaar is. Zalings dienen ervoor om de mastbuiging in het gebied tussen mastvoet en aangrijpingspunt van de wanten te controleren.

We kennen bijvoorbeeld de volledig zwenkbare zalings, die van voor naar achter een horizontale boog van 180° kunnen beschrijven. Dit type zalings, dat met de wanten steeds op trekbelasting moet zijn verbonden, heeft echter ook enige nadelen: bijvoorbeeld dat het de mast plotseling naar achteren drukt, als

De boven afgebeelde dwarsdoorsnede is bij de huidige aluminiummasten zeer gunstig gebleken. Naar de top toe kan hij verjongd worden.

de (vrij zwaaiende) zaling bij harde wind op een voor-de-windse koers onder spinnaker plotseling onder druk zou komen, wat beslist mogelijk is, omdat de spinnaker in dit geval de masttop naar voren trekt waardoor het midden van de mast min of meer naar achteren buigt. De effectiviteit van de volledig zwenkbare zaling is daarom in de eerste plaats afhankelijk van de spanning op de wanten. In het kort betekent dat: hoe langer de zalings zijn, des te meer buigt de mast en hoe korter ze worden ingesteld, des te stijver de mast.

Maar momenteel zijn de zogenaamde beperkt zwenkbare zalings, waarmee een veel betere controle van de mastbuiging mogelijk is, het meest in trek. Deze zaling werkt met twee factoren: de verstelbare lengte van de zaling zelf en de instelhoek van de zaling naar achteren. Is de juiste instelhoek eenmaal gevonden, dan kunnen ze in deze stand worden vastgezet. Als houvast kan dienen, dat de zalings de wanten enige centimeters uit de rechte lijn moeten drukken, voor het geval wij met een stijve mast willen varen. Hun instelhoek moet daarbij zó gefixeerd worden, dat zij de wanten naar voren iets door de rechte lijn heendrukken. Wil men de mast meer naar voren laten doorbuigen maar liefst niet naar opzij, dan moet de hoek die de zalings van achteren met elkaar maken kleiner worden; de lengte blijft echter onveranderd. Moet daarentegen de mast tussen voet en aangrijpingspunt van de wanten meer naar loef buigen, bijvoorbeeld om de spleet groter te maken, dan blijft de hoek weliswaar onveranderd, maar de zalings worden wat ingekort. Het midden van de mast verschuift dan verder uit de hartlijn

De beperkt zwenkbare zalings aan deze mast zijn zeer effectief, omdat ze ook in lengte verstelbaar zijn. De eronder gemonteerde, iets naar voren wijzende diamantzalings kunnen evenwel ook hun nadelen hebben.

van de boot. Wat betreft de hoogte van de zalings: die zal bij vast door het dek stekende masten, net boven de helft van de afstand tussen dek en doorvoer van het fokkeval liggen. Bij een op het dek geplaatste mast ligt deze plaats net onder deze halve hoogte.

Een andere mogelijkheid is de diamantverstaging; maar daar ziet men steeds meer vanaf, ten gunste van zalings. De mogelijkheden van de diamantverstaging zijn wat beperkter, omdat ze voornamelijk het zijdelings doorbuigen van de mast tegengaan. In een bepaalde mate verhinderen ze ook de buiging in langsscheepse richting, vooral als ze nogal naar voren staan. De spanning van een goede diamantverstaging kan bij het dek met een hefboomspanner of een trommelspanner worden geregeld. Het voornaamste nadeel van deze verstaging is, dat de mast te star in een bepaalde stand wordt gefixeerd, waardoor hij bij het opkruisen in golven niet zo goed meer kan meegeven.

De functie van de wanten

Wordt er helemaal zonder extra verstaging gezeild, dan moet men erop letten dat de aangrijpingspunten van de wanten lager liggen dan met zalings of diamantverstaging, dus op ongeveer eenderde van de mastlengte van boven af. Anders is de dwarsscheepse buiging tussen mastvoet en aangrijpingspunt van de wanten al bij matige wind flink groot. Intussen heeft men ook de waarde van de wanten in hun functie als triminrichting ontdekt. De goede oude spanschroeven en de moderne gatenspanners moeten, tenminste op tip-top wedstrijdboten, steeds vaker wijken voor kleine talies en

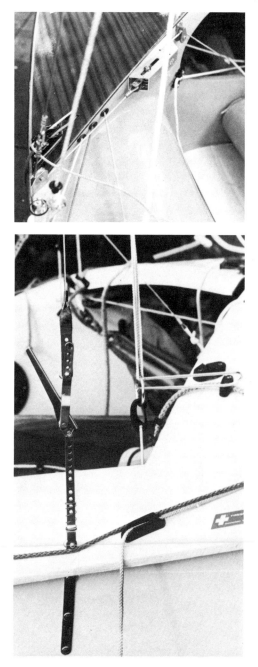

Op de 505 (boven) wordt het want over een schijf gevoerd, zodat de stuurman vanaf zijn plaats de spanning erop kan vergroten of verkleinen. Op de Fireball (onder) gebruikt men daarvoor een simpele hefboomspanner.

29

schroefspanners waarmee men ook onder het zeilen de wanten kan spannen of opvieren.

Ook de plaatsing van de wanten op dek moet niet worden onderschat. Hoe verder de wanten naar achteren staan, des te beter wordt de mast bij achterlijke wind gesteund, maar des te minder kan de giek uitwaaien. Er moet dus weer een optimaal compromis tussen deze beide factoren worden gevonden. Als men de wanten zo voorlijk mogelijk wil bevestigen, zijn stevige wanten en een solide romp een eerste vereiste. Dichter dan 30 cm bij de as van de mastvoet zal men de wanten in geen geval plaatsen.

De vallen

Wat eigenlijk vanzelfsprekend zou moeten zijn, is nog lang niet op alle zwaard-

Een te korte voorloper van staaldraad of een niet voldoende doorgezet val, kan - vooral bij de fok - een doorzakken van het voorlijk veroorzaken, waardoor de buik naar achteren schuift en het zeil 'dichtklapt'.

boten - vooral gezinsboten - gebruikelijk, namelijk vallen met voldoende lange staaldraadvoorloper met een handige spaninrichting. Dat is nodig om voldoende spanning op het voorlijk te houden. Vallen van de meeste touwsoorten rekken n.l. zeer snel op en veroorzaken - speciaal bij de fok - een verminderde spanning op het voorlijk, wat op zijn beurt weer de vorm en de stand van het zeil beïnvloed. Op boten met in totaal meer dan 10 m² zeiloppervlak zijn voldoende lange staaldraadvoorlopers aan de vallen zeer belangrijk en als het mogelijk is, mag er tussen de tophoek van het zeil en de valspanner of -strekker zelfs geen touw voorkomen.

Materiaal voor staand en lopend want

Het staand en lopend want bestaat, zelfs bij de vrij goedkope uitvoeringen, uit roestvrij en synthetisch materiaal. Gegalvaniseerd staaldraad, dat op zout water vaak al na één seizoen was verroest, is nu bijna geheel verdrongen door roestvrij staaldraad. Voor de ogen aan de staaldraadvallen en wanten gebruikt men ook niet meer de oude, vertrouwde oogsplits, maar er wordt een persklem of een terminal omgeklemd.

Een terminal is een roestvrij, hol eindstuk, waarin de draad wordt gestoken. In een speciale machine wordt het kokertje dan dichtgedrukt. Met persklemmen worden op een dergelijke manier twee einden staaldraad aan elkaar verbonden. Men schuift een huls, meestal van een aluminium- of koperlegering, over de draden en deze wordt dan met een grote hefboomtang meerdere malen in elkaar geperst. Het zachte metaal wordt tussen de kardelen van de draad gedrukt en brengt zo een hechte verbinding tot stand. Bijna iedere wedstrijdzeiler heeft tegenwoordig zijn eigen persklemmen en tang in zijn gereedschapstas en kan daarmee heel snel reparaties uitvoeren, die vroeger nogal tijdrovend en omslachtig waren.

De giek

Met gieken werd bijna even uitvoerig geëxperimenteerd als met masten. Ze waren rechthoekig of rond, bogen naar onderen of ook naar opzij door, of waren helemaal star. Tegenwoordig zien we meest nog gieken, die in alle richtingen tamelijk stijf zijn; en aan deze eigenschappen schijnt ook - in tegenstelling tot de bouw van masten - voorlopig weinig te veranderen.

Dat aluminium gieken veel voordeliger zijn dan houten gieken is even duidelijk als dat bij houten masten het geval was. Niet alleen is de groef voor het zeil veel beter vormvast, maar ze zijn ook hol. Daardoor kan men binnendoor een takeltje monteren voor het spannen van het onderlijk; hierbij kan de halende part zo ver mogelijk naar voren aan de onderkant van de giek naar buiten komen, zodat de fokkemaat er tijdens het zeilen mee kan werken.

De beste aluminium gieken hebben tegenwoordig over de hele lengte aan de onderkant een railprofiel. Zowel neerhouder als blokken van de schootvoering kunnen daardoor verstelbaar op sleetjes worden gevoerd, die op een en dezelfde

De grootschootvoering van het eind van de giek naar de spiegel is niet alleen onpraktisch - omdat zowel de schoot als de helmstok van achteren komen - maar het is ook nadelig voor de snelheid. Een giek buigt dan namelijk zoals hij dat niet mag doen: in het midden naar boven. De centrale schootvoering is zowel praktischer als effectiever.

rail versteld kunnen worden. Vaak wordt de rail ook aan de onderkant met popnagels bevestigd en de lengte is dan beperkt. Hoe belangrijk de verstelbare schootblokken zijn voor het trimmen van de tuigage wordt tegenwoordig door niemand meer bestreden. Liggen ze dicht bij elkaar, dan concentreert de trekkracht naar onderen zich op één punt. Plaatst men ze verder uit elkaar, dan wordt die kracht over een groter gebied verdeeld. En zet men de blokken verder naar achteren, dan oefent de met schoten strak aangehaalde giek een druk uit op de mast, zodat deze van onderen naar voren buigt.

De bevestiging van de halshoek van het grootzeil aan de giek is vaak een netelig punt. Deze bout met omklapbaar uiteinde is in ieder geval een van de beste oplossingen. De foto onder laat een rail zien die tegen de onder-

Grootzeil en fok

Vorm; principe van de werking

De triomftocht van het synthetisch materiaal is ook bij de zeilen niet stil blijven staan. Ze worden tegenwoordig bijna uitsluitend van kunstvezels gemaakt en, al naar gelang het land van herkomst, anders genoemd ofschoon ze in wezen van hetzelfde materiaal zijn gemaakt. In Duitsland noemt men het b.v. Diolen, in Amerika dacron, en in Engeland terylene. Gering onderhoud en lange levensduur gelden voor deze zeilen even goed als hoge scheurvastheid en het voordeel, dat 'inzeilen' niet meer nodig is. Dit verandert er intussen niets aan dat de ontwikkeling van de zeilen al weer voor een volgende revolutie staat: de revolutie van het profiel.

De theorie van Dr. Manfred Curry, dat een zeil niets anders is dan een vogelvleugel, heeft afgedaan. In het jaar 1925 geponeerd, heeft het principe van de vogelvleugel tot voor kort stand gehouden. Al jaren geleden had men ingezien, dat daarmee niet beslist ook het meest effectieve zeilprofiel was gevonden. Maar technisch was men nog niet in staat de consequenties uit deze nieuwe inzichten te trekken. Want lange tijd was tegen de onaangename eigenschap van elk zeil, dat men bij toenemende wind de controle over de buik in het zeil verloor, niets te doen, ook niet door de spanning in de lijken te vergroten of de mast anders te trimmen. Het weefsel was er eenvoudig nog te slap voor.

Als gevolg daarvan was het - overeenkomstig het vogelvleugelprincipe - tot nog toe gebruikelijk het zeil zó te snijden,

kant van de giek is bevestigd tussen neerhouder en mastbeslag. Hierop kan het vlak daarvóór uit de giek komende lijntje om het onderlijk te spannen snel en simpel onder het zeil worden versteld en belegd.

Zo vlak is tegenwoordig bij harde wind een goed allround grootzeil aan een goede mast te trimmen...

... en zo ziet hetzelfde zeil aan dezelfde mast eruit als het voor licht weer getrimd moet worden. Mast en giek blijven bijna recht en de lijken worden veel losser gevoerd.

33

dat de buik vlak achter het voorlijk lag, waar hij het beste zijn vorm hield en ook het meest effectief was. Zowel uit theorie als praktijk is intussen duidelijk gebleken, dat een zeil - om er een maximale snelheid en hoogte mee te kunnen behalen - het meest effectief is als het een gelijkmatige bolling heeft en de buik in het midden ligt. Iedere boot, of hij nu oud of nieuw is, zeilt met een dergelijk tuig tot ca. 5° hoger aan-de-wind als vóór die tijd. Maar dat kon pas gerealiseerd worden nadat het gelukt was doeksoorten te weven, die na verwerking de gegeven vorm ook behielden. Nog weinig jaren geleden zou zo'n buik in het midden bij harde wind beslist naar achteren gedrukt worden, wat natuurlijk een zeer ongunsti-

ge invloed heeft op de snelheid en hoogte.

Maar het juiste profiel in een zeil krijgen is nog steeds het voornaamste probleem van iedere zeilmaker. Na de keuze van het geschikte doek, zal hij er daarom eerst enige testzeilen uit snijden; aan de hand daarvan kan hij dan vaststellen met welke krommingen en dun uitlopende naden hij moet werken, om met dit doek een zeil te maken dat goed staat en dat er bovendien 'goed aan zal trekken'. Heeft hij een bevredigend testzeil genaaid, dan worden er mallen van gemaakt; de volgende zeilen worden dan nauwkeurig volgens die mallen gesneden. Bovendien moet hij steeds weer controleren, of het doek nog van de oorspronkelijke kwaliteit

De spanning op het voorlijk van de fok moet evenals bij het grootzeil snel versteld kunnen worden. Bij boten met een rolfok is daarvoor maar één oplossing: de strekker van het voorlijk moet door de opening van de rolinrichting worden gevoerd.

Het onderlijk van de fok moet liefst zo goed mogelijk tegen het dek aansluiten (zoals op de foto). Valt het onderlijk ronder, dan mag het overtollige deel rustig op dek liggen.

is en de juiste eigenschappen heeft.

Een effectief zeil krijgt zijn profiel dus door de in het midden gemaakte buik en door de gekromde banen, die evenwijdig aan elkaar worden vastgenaaid. Door de plaats van de sterkste kromming en door de diepte van de kromming worden de diepte van het profiel en het diepste punt ervan bepaald. De touwlijnen van het grootzeil naait men er onder een kleine spanning tegenaan, zodat ze in ongespannen toestand het doek enigszins samentrekken, waardoor kleine plooitjes achter de lijken ontstaan.

Voorzeilen hebben tegenwoordig meestal een voorlijk van staaldraad, waar het voorlijk omheen is geschoven. Aan de top wordt de fok vast verbonden met het oog van dit staaldraad; de halshoek kan worden gespannen. Zo is het mogelijk om ook het voorlijk van de fok tijdens het zeilen de gewenste spanning te geven.

Fabricage van het zeildoek

Of een bepaald zeildoek goed of slecht is wordt bepaald door de manier waarop de wever de polyesterdraden in elkaar weeft en hoe dat weefsel daarna wordt behandeld. De kwaliteit van de polyester draden is onder meer afhankelijk van het feit of de draden meer of minder in elkaar gedraaid - getwijnd - zijn. Zijn ze sterk getwijnd, dan gaan ze vrij gemakkelijk krullen. Dat is belangrijk wanneer men een bijzonder dicht doek wil weven, want

Een te hoog gesneden onderlijk van de fok is daarentegen niet goed want nu kan de wind van de overdrukzijde onder het onderlijk door aan de onderdrukzijde van het zeil komen, waardoor het drukverschil kleiner wordt en de voortstuwende kracht afneemt.

de draden liggen dan heel dicht naast en over elkaar. Sterk getwijnde garens kunnen bij belasting ook vrij gemakkelijk rekken, omdat de vezels ervan genoeg ruimte hebben om, zodra er spanning op komt, zich in de draad tegen elkaar te drukken. De draad wordt daardoor dunner en langer. Het resultaat: het doek is in langs- en dwarsrichting betrekkelijk rekbaar. De langs- of dwarssterkte van het doek kan men echter ook apart beïnvloeden door de dichtheid en het meer of minder twijnen van de ketting- of inslagdraden. Met een chemische nabehandeling kunnen de totale sterkte en de gladheid van het oppervlak worden beïnvloed.

Het geweven doek wordt eerst een keer gereinigd en over hete cilinders gevoerd. Direct daarna verkrijgt het door toevoeging van hars meer stabiliteit. Het doek wordt daarbij eerst door een harsbad en daarna tussen een serie walsen doorgevoerd, waarbij de hars helemaal in het weefsel wordt gedrukt. Deze hars zorgt ervoor dat de draden ten opzichte van elkaar niet verschuiven, wat op zijn beurt de sterkte in alle richtingen vergroot. Door de meest uiteenlopende nabehandelingen kan men het doek dan nog de eigenschappen verlenen, die het voor een specifiek doel geschikt maken; dus bijvoorbeeld als zeil voor een zwaardboot of voor een kielboot, ofwel voor een grootzeil of voor een fok. De kwaliteit van een doeksoort wordt beïnvloed door vezel- en draadsterkte, door harsviscositeit, spanning van weefgetouw en de druk van verwarmings- en harspersen.

Zeillatten

De zeillatten houden het achterlijk van het grootzeil gespannen. De bovenste loopt daarbij het verste door en voorkomt

Als regel moet de bovenste zeillat - zoals hier - vooraan slap en voor het overige tweederde gedeelte veel stijver zijn.

zodoende dat er vóór de lat een vouw ontstaat; de soepelheid ervan bepaalt in dit gebied de bolling van het zeil: slappe zeillatten - sterke bolling, stijve latten - weinig bolling.

Alle latten, de bovenste weliswaar meer dan de andere, verlopen naar voren toe conisch, zodat de voorste helft buigzamer is dan de achterste helft. Juist bij de olympische klasseboten kunnen we goed zien, dat de latten steeds korter worden sinds de kwaliteit van het zeildoek steeds beter wordt. De vorm van het zeil kan nu dus in hogere mate met kortere zeillatten onder controle worden gehouden: dat wil zeggen, het harmonische profiel van het grootzeil kan nu verder naar achteren doorlopen zonder dat het door relatief starre, lange latten wordt onderbroken.

Als materiaal voor zeillatten gebruikt men tegenwoordig kunststof, of een sandwichconstructie van hout en kunststof, of ook alleen hout. Vooral in Australië, Nieuw Zeeland en Brazilië waar men over beter geschikte houtsoorten beschikt dan in Europa, zijn houten zeillatten nog veel gevraagd. Belangrijk bij een zeillat is dat hij niet kromtrekt, zonder spanning recht blijft en dat hij gelijkmatig buigt.

De spinnaker

Oorspronkelijk was de spinnaker een puur voor-de-windzeil, met als belangrijkste taak het geprojecteerde zeiloppervlak voor-de-wind te vergroten. Intussen ontdekte men al gauw dat hij, net als grootzeil en fok, het meest effectief is als de wind lángs het zeil kan stromen. Bij de verdere ontwikkeling van dit zeil heeft men hiermee dan ook rekening gehouden. Op moderne zwaardboten en kielboten worden tegenwoordig meestal de zogenaamde sferische spinnakers gevoerd. Ze hebben gebogen lijken en horizontale banen die, in tegenstelling met de vroeger gebruikelijke verticale banen, in de richting van de luchtstroming lopen zodat de naden geen weerstand leveren. Bovendien heeft het lichte nylondoek in langsrichting de minste rek, zodat deze spinnakers ook bij harde wind nauwelijks meer bolling krijgen.

Deze sferisch gesneden spinnakers, waaraan helemaal geen rechte kanten zitten en waarbij de krommingsgraad ook weer de vorm van het profiel bepaalt, zijn meestal kogelvormig of van hoge 'schouders' voorzien. De gedachte, de wind bovenin - waar de afdekking door het grootzeil minder en de windsnelheid groter is - door brede schouders met zo veel mogelijk doek op te vangen, is voor enige progressieve zeilmakers allang niet meer de meest voor de hand liggende. Zij maken hun spinnakers voor moderne planeerboten, zoals de FD, bovenaan al ca. 15 cm smaller dan in de klassevoorschriften wordt toegestaan. Want - zo redeneren ze - alleen een zo vlak mogelijke spinnaker geeft maximale voortstuwing. Ze verwerpen de opvatting dat

een boot des te sneller is, naarmate de schouders van de spinnaker hoger en breder zijn gesneden. Ze geloven veel meer - zoals de Amerikaan North - dat men geen optimale voortstuwende kracht kan bereiken als de schouders té hoog zijn opgetrokken. Een vlakke spinnaker veroorzaakt daarentegen een kleinere

Zo ongeveer ziet een goede sferische spinnaker eruit. Meestal is hij een geslaagd compromis tussen optimale ruimschootse en goede voor-de-windse eigenschappen.

helling, hij staat rustiger, en men kan ermee hoger aan de schijnbare wind zeilen, wel tot ca. 60°. Bijna niemand bestrijdt intussen, dat de voordelen van deze spinnaker op de eerste plaats bij harde wind gelden. Op ruimschootse koersen en zwakke wind is een ronder en een voller gesneden spinnaker nog steeds beter geschikt, omdat hij - vooral op rustig water - minder snel inzakt en beter trekt. Wie dus serieus wil wedstrijdzeilen, zal met één spinnaker nauwelijks toekomen.

Of een spinnaker goed is gesneden is niet dadelijk vast te stellen, maar blijkt pas bij een test in de praktijk. In de eerste plaats mogen de lijken er niet te strak aan vast genaaid zijn, omdat ze anders al gauw naar binnen kunnen krullen. Maar bijna even slecht is ook het tegenovergestelde, als ze te ruim zijn en sterk klapperen. Het maakt daarentegen niets uit of de spinnaker bovenaan een beetje 'met een oor klappert'; dat betekent n.l. dat hij om zo te zeggen precies optimaal wordt gebruikt. Het loeflijk moet daarom op ruimschootse koersen in de buurt van de bovenste kromming steeds een héél klein beetje klapperen, wat van de fokkemaat een voortdurend spelen met de lijschoot vergt.

Zo duidelijk als het voordeel van dit nieuwe spinnakerprofiel is, zo dubieus is intussen menige andere verworvenheid, zoals het gewicht van het doek. Veel zeilmakers bieden spinnakers aan die - in extreme gevallen - nog maar half zo zwaar zijn als de normale, dus ongeveer 20 gram per vierkante meter. De voordelen van zo'n lichtweer-spinnaker zijn echter zo gering dat ze in geen geval opwegen tegen de nadelen, zoals groter

gevaar van scheuren en gevoeligheid voor verwering (vooral door ultraviolette straling).

Ook zwarte spinnakers, die kort geleden nog volop in de mode waren, hebben zich in de praktijk niet kunnen waarmaken. De zwarte stof moest door zonnewarmte, volgens het principe van de heteluchtballon, een naar boven gerichte stuwing van warme lucht opwekken; maar bij zwakke wind bleek de spinnaker daardoor nauwelijks een betere stand te

Op de wedstrijdbanen kan men tegenwoordig spinnakers zien in de meest uiteenlopende vormen. De spinnaker van FD 1069 heeft bijvoorbeeld zeer hoge schouders, terwijl die van FD 943 ronder zijn gesneden.

Maar nu zijn ze allemaal bepaald vlakker dan nog maar enkele jaren geleden, en om op zelfs zeer krappe ruimschootse koersen nog goed te kunnen trekken moet de lijschoot zo ver mogelijk naar achteren worden geschoot.

krijgen. Daarentegen ligt het effect van de verschillend gekleurde banen niet alleen in hun decoratieve werking. De spinnaker is hierdoor namelijk juist bij felle zon beter in de gaten te houden en zodoende ook effectiever te hanteren.

Het is te begrijpen, dat het dunne spinnakerdoek gevoeliger is dan de andere zeilen. Ook heeft het bij hitte de eigenschap dat het gaat krimpen, terwijl het bij nat worden uitzet. Het is een onjuiste, maar nog steeds populaire mening, te

geloven, dat de spinnaker niet zo zorgvuldig opgevouwen hoeft te worden als de andere zeilen. Want wie het zeil gewoon in elkaar frommelt en wellicht ook nog nat wegstouwt, heeft dan de volgende keer zeker een kleiner zeil. Een in elkaar gefrommeld bankbiljet dat na enige tijd weer glad wordt gestreken, is ook niet meer zo groot als een, dat zorgvuldig was opgevouwen. Het is echter - in tegenstelling tot de spinnaker - nog steeds evenveel waard.

De spinnakers op deze twee boten laten weer andere punten zien. Terwijl de linker relatief vlak en boven zeer smal is en zodoende op ruimschootse koersen en bij harde wind het meest effectief zal zijn, is de rechter spin- *naker nog volgens de oudere principes gesneden, met de karakteristieke 'kippeborst' en de verticale middennaad. Hij is weliswaar heel geschikt voor recht voor-de-windse koersen, maar is ruimschoots duidelijk in het nadeel.*

41

Trim en technische beheersing van de zwaardboot

Om de maximale snelheid uit een moderne zwaardboot te halen moet er aan één voorwaarde worden voldaan: men moet van te voren de inrichting en de functies ervan begrijpen. Want de grootst mogelijke snelheid komt er pas uit als tuigtrim, lateraaltrim en gewichtstrim - plus een juiste zeiltechniek - zo optimaal mogelijk samengaan. Terwijl verfijnde zeiltechniek, dus het meest effectieve samenspel van evenwicht houden, sturen en bediening van de schoten, toch in hoge mate een kwestie van persoonlijke aanleg (zeg talent) en ervaring is en daarom slechts in beperkte mate als een soort ruwe schets kan worden geleerd, is het met het trimmen heel anders gesteld. Hierbij maken niet zozeer oefening en begaafdheid de meester, maar veel meer het theoretische begrip van de onderlinge samenhang volgens het principe van oorzaak en gevolg; wat echter niet wil zeggen, dat ook hier niet een punt aanbreekt waar alleen nog de persoonlijke ervaring verdere vooruitgang mogelijk maakt. Maar juist dit punt kan uitsluitend worden bereikt via de nauwkeurige kennis van het oorzakelijke verband tussen de onderdelen waarmee wij werken.

Omdat de trim van een zwaardboot en de technische beheersing ervan erg moeilijk van elkaar zijn te scheiden, hebben we er de voorkeur aan gegeven dit hele complex van punten in één hoofdstuk te behandelen. Dit is echter, om het overzichtelijk te houden, exact ingedeeld in de te zeilen koersen en de heersende windkracht. Uit deze manier van indelen zal blijken dat in dit centrale thema niets uit zijn verband wordt getrokken. Wij beginnen echter met een inleiding in de verschillende trimmogelijkheden en in de techniek van het zeilen met de trapeze.

De verschillende trimcomponenten (gewichts-, lateraal- en tuigtrim).

Zoals bekend moet een boot tijdens het varen twee soorten weerstanden overwinnen. Dat is in de eerste plaats de vormweerstand, die in dit verband echter - omdat hij van het ontwerp afhangt - slechts van ondergeschikt belang is. De andere is de wrijvingsweerstand, die ontstaat door het contact tussen de varende boot en het water. Hoe groter het natte oppervlak van de boot, des te groter is natuurlijk ook de wrijvingsweerstand en daarmee ook de kracht die nodig is om de boot voort te stuwen.

Het meest effectieve middel om het natte oppervlak te verkleinen is gewichtsverplaatsing. Gaat de bemanning meer naar voren zitten, dan wordt weliswaar in het voorschip de diepgang groter, maar het breed uitlopende achterschip komt des te meer omhoog. De waterverplaatsing van de boot blijft daarbij weliswaar gelijk, maar het drijfvermogen van de romp is nu anders verdeeld. Het resultaat hiervan is dat het natte oppervlak en daarmee de wrijvingsweerstand kleiner worden.

Gaat de bemanning daarentegen meer naar achteren, dan keren we de zaak om. Omdat het achterschip dan dieper komt te liggen wordt het natte oppervlak groter en voorin wordt de diepgang kleiner.

Bij zwakke wind, als de wrijvingsweerstand een grote rol speelt, is de reductie van het natte oppervlak door het aanpassen van de gewichtstrim heel belangrijk. Bij harde wind en hoge snelheden, waarbij ook andere dynamische krachten gaan optreden, speelt de wrijvingsweerstand daarentegen nog maar een ondergeschikte rol.

In dit verband is het wellicht interessant, dat de wrijvingsweerstand ook door een speciale behandeling van het onderwaterschip tot op zekere hoogte kan worden gereduceerd. Terwijl men dit tot voor kort alleen nog maar door eindeloos nauwkeurig polijsten dacht te kunnen bereiken, is zowel uit de praktijk als uit vele onderzoekingen inmiddels gebleken dat een heel licht opgeschuurd onderwaterschip het gunstigste is. Het oppervlak van het onderwaterschip wordt daarbij met waterproof schuurpapier microscopisch fijn opgeruwd. Daardoor

kan zich een dunne grenslaag vormen tussen de laminaire waterstroom en het onderwaterschip, die de wrijvingsweerstand kleiner maakt. Proeven hebben aangetoond dat waterproof schuurpapier met korrel 400 het beste resultaat geeft.

Bij polyester boten kan het slijpen echter - in tegenstelling met plakhouten boten - soms onaangename gevolgen hebben. Hier bestaat n.l. het gevaar dat bij te diep doorslijpen de gelcoat - dat is de gekleurde deklaag van het laminaat - zo ver wordt weggesleept dat de duurzaamheid van het oppervlak wordt aangetast. Daarnaast zijn er nog speciale grafietverven die door de enigszins ruwe grafietdeeltjes eenzelfde effect hebben. Ze hebben echter het nadeel dat ze niet zo erg lang aan het onderwaterschip hechten en afschilveren. Overigens is de aanduiding onderwaterschip niet helemaal juist, want

Verkleining van het natte oppervlak door een juiste gewichtstrim is bij zwakke wind heel belangrijk, want dan is de wrijvingsweerstand 80 à 90% van de totale weerstand. Dit mag echter niet ten koste van de voortstuwende kracht van de zeilen gaan, wat bij sterk overhellen naar lij (foto) licht het geval zou kunnen zijn. Daarom moeten deze twee elkaar beïnvloedende factoren steeds nauwkeurig tegen elkaar worden afgewogen.

Gewichtstrim naar voren is naast de helling naar lij de tweede trimfactor, waardoor het natte oppervlak kan worden gereduceerd. Op de bovenste foto is het echter wat extreem toegepast, want de fokkemaat verstoort hier de spleetwerking tussen fok en grootzeil.

Zit de bemanning op de normale plaatsen, dan zakt het achterschip te diep in het water. Het natte oppervlak wordt groter, waardoor de wrijvingsweerstand toeneemt; achter de in het water liggende spiegel ontstaat zuiging.

45

daarmee wordt hier de buitenkant van de romp tot aan de stootranden mee bedoeld. Men vergeet n.l. maar al te vaak, dat steeds ook het bóvenwaterschip tot op zekere hoogte in het water komt. Daarom moet de onderwaterverf steeds tot aan de stootrand doorlopen; want anders komt er een overgang in de wrijvingsweerstand van de twee verflagen en door het verloop van de stroming langs de romp moet het langsstromende water die tweemaal passeren. Wie met zijn boot dus werkelijk op maximale snelheid uit is, mag deze kleinigheden niet over het hoofd zien. Dat echter een correcte gewichtstrim in ieder geval véél belangrijker is dan kunstig gepolijste rompen, zal duidelijk zijn.

De zwaardbootzeiler heeft, in tegenstelling tot een zeiler in een kielboot, ook altijd nog de mogelijkheid van de lateraaltrim.

Het lateraalvlak is het oppervlak van de romp, dat op de ontwerptekening in zijaanzicht onder de constructiewaterlijn (C.W.L.) ligt, en wel inclusief zwaard en roer. Het gaat daarbij dus om het totale oppervlak dat weerstand biedt tegen de zijdelingse drift. En de trimmogelijkheid bestaat hierin, dat de stand van zwaard en roerblad kan worden veranderd. Bij moderne zwaardboten kan niet alleen de instelhoek van het zwaard worden veranderd, maar bovendien kan het draaipunt in de zwaardkast 10 - 20 cm naar voren of achteren worden versteld.

Bij de trim van de boot gaat het er uitsluitend om, het zwaartepunt boven water, het zeilpunt, en het zwaartepunt onder water, het lateraalpunt, langsscheeps in een zo goed mogelijke positie ten opzichte van elkaar te brengen. De onderlinge positie van deze beide punten

Al wordt bijna iedere boot bij harde wind loefgierig, toch zal een goed getrimde boot ook dan vrijwel in zeilbalans blijven; de neiging tot oploeven blijft dan namelijk zo gering, dat hij nog goed met de aanwezige tegenmiddelen gecompenseerd kan worden. Bij slechte trim kan de loefgierigheid zo sterk worden, dat die alleen door voortdurend, inspannend tegenroer geven kan worden gecorrigeerd (foto). En dat betekent snelheidsverlies.

wordt echter door talloze factoren bepaald. Bijvoorbeeld door de koers, die de boot zeilt, door zijn snelheid, de helling en natuurlijk door de bolling en trim van het zeil. Het zeilpunt, het zwaartepunt van de zeilen als geheel, kan worden gevonden uit de zwaartepunten en oppervlakken van fok en grootzeil. (Behalve natuurlijk bij eenmansboten zonder fok.) Ligt het zeilpunt ook maar een beetje achter het lateraalpunt, dan heeft de boot de neiging om met de neus in de wind te draaien: hij is loefgierig. Ligt het zeilpunt daarentegen ver vóór het lateraalpunt, dan is het tegenovergestelde het geval: de boot wordt lijgierig; hij valt dus af, als het roer midscheeps wordt gehouden.

Onafhankelijk van al deze invloeden heeft iedere boot een standaardtrim nodig, waarbij een norm voor de plaats van de mastvoet en de juiste hoek tussen de mast en de langsscheepse as moet worden gevonden. Uit ervaring zal men daarom bij licht weer, dus rond windkracht 2, de mast zó in de boot plaatsen dat hij hoog-aan-de-wind - met gevierd zwaard, juiste stand van de zeilen, bijna rechtop en met in het midden geconcentreerde gewichten - zo goed mogelijk op het roer ligt. Dat verandert er weliswaar niets aan, dat hij bij nog zwakkere wind toch lijgierig en bij toenemende wind daarentegen loefgierig zal worden, maar dat gebeurt in zo'n mate, dat het naar verhouding vrij gemakkelijk door andere factoren te corrigeren is. De 'gulden middenweg' is dan in ieder geval vastgelegd. Het evenwicht tussen zeilpunt en lateraalpunt is dus een noodzakelijke voorwaarde voor maximale snelheid. Want anders moet er tegenroer worden gegeven - en dat remt af.

Maar het gecompliceerdste aan de hele boot is verreweg de tuigtrim. Want daardoor kan niet alleen het zeilpunt worden verplaatst, maar hij bepaalt tevens of de zeilen in de gegeven omstandigheden ook de optimale voortstuwingskracht leveren. En dat doen ze alleen, als de mast zo effectief mogelijk kan worden aangepast. Daarom moeten ze samen een zo goed mogelijke eenheid vormen, zodat iedere verandering aan het profiel van het zeil ook door gewenste doorbuiging van de mast kan worden gevolgd. Deze onderlinge afhankelijkheid is bij moderne zwaardboten natuurlijk veel groter dan bij minder veeleisend uitgeruste gezinsboten. In het algemeen kan een zeil nog zo goed gesneden zijn, maar als de mast er niet mee harmoniëert dan zullen de kwaliteiten van het zeil niet tot hun recht komen. Hoe dat er in bijzonderheden uitziet, wordt in de gedeelten over trim en techniek verklaard.

Trapezetechniek

De invoering van de trapeze - in de vijftiger jaren - heeft het zeilen met zwaardboten een nieuwe dimensie gegeven. Want pas de trapeze bood de mogelijkheid om steeds gevoeliger en labieler lichtgewicht boten te ontwerpen met relatief grote zeiloppervlakken, die met het gewone overhangen in geen geval in toom zouden kunnen worden gehouden. Natuurlijk is het zeilen met de trapeze in de loop der jaren ook steeds meer verfijnd. Gebeurde het vroeger nog dat men ondanks pijn in de lenden zo lang mogelijk aan de draad buitenboord bleef hangen - nu moet men er alleen voor zorgen dat men door allerlei kneepjes zijn lichaamsgewicht zo effectief mogelijk gebruikt.

Zo worden tegenwoordig nauwelijks meer stijve en harde heupgordels gebruikt, maar een soort trapezebroek. De druk van het lichaamsgewicht is nu niet meer geconcentreerd op een smalle strook bij de heupen, maar gelijkmatig over een groter deel van het lichaam verdeeld. In deze trapezebroek hangt de fokkemaat bijna als in een hangmat, zodat deze houding veel minder inspannend is dan het normale overhangen. De haak, die men bij het omslaan gemakkelijk moet kunnen lospikken, kan door middel van riemen zo worden versteld dat hij precies boven het zwaartepunt van het lichaam komt, waarmee de beste werking wordt bereikt.

De techniek van het trapezewerk is op moderne wedstrijd boten al uitgegroeid tot een soort 'intuïtieve wetenschap', die van de fokkemaat niet alleen kracht en reactievermogen verlangt, maar vóór alles het juiste gevoel voor de reacties van deze racemachine. Alleen deze combinatie van eigenschappen typeert de goede trapezeman. Voor de stuurman biedt alleen zo'n talentvolle fokkemaat de mogelijkheid voor een succesvolle wedstrijdcarrière. Want het zeilen met trapeze is echt teamwork, omdat de fokkemaat moet reageren op iedere roerbeweging van de stuurman. Zulke prima op elkaar ingespeelde bemanningen, waarbij intuïtie allang de commando's heeft verdrongen, vindt men bij zware wedstrijden dan ook steeds vooraan in het veld. Reeds lang namelijk vergelijkt men een geperfectioneerde FD eerder met een gevoelig renpaard dan met een levenloos sporttoestel.

Het gewicht en de grootte van de fokkemaat spelen bij de huidige flexibele tuig-

Precies onder de ideale hoek van 90° met de mast hangt deze fokkemaat in de trapeze. Terwijl hij met de ene hand de fokkeschoot hanteert, houdt hij de andere vrij om zich op elk gewenst moment aan de handgreep in de boot te kunnen trekken.

De rechterarm zou hier beter in de nek kunnen worden gelegd, want dan wordt het oprichtende koppel nog wat groter. Bij harde wind is het bovendien veiliger om met licht gespreide benen in de trapeze te hangen.

Een te ver openstaande haak aan de trapezegordel heeft reeds menige trapezeman een ongewenst bad bezorgd. Bij het buitenboord stappen in de trapeze wil het oog namelijk nogal eens vanzelf uithaken, omdat er dan niet steeds spanning op staat.

ages bij lange na niet meer die belangrijke rol als in de begintijd van het trapezezeilen. Veel belangrijker is dat de trapezeman een goede lichaamsconditie heeft. Want dan kan men hem over de tweede gerust nog een derde drijfnatte wollen trui aantrekken. Komen daar overheen nog een zwemvest en de trapezebroek, dan lijken Amerikaanse rugby-profs daarbij vergeleken tere jongetjes.

Bij werkelijk zwaar weer, blijkt in elk geval in het kruisrak, dat een zware en overeenkomstig grote fokkemaat steeds voordelig zal zijn. Aan de andere kant blijkt een

bekwame, wat lichtere trapezeman bij zwakke en matige wind (tot windkracht 4) weer gunstiger. En wel hoofdzakelijk op ruimschootse koersen onder spinnaker. Een fokkemaat met het juiste gevoel is n.l. zonder meer in staat een 505, een 420, 470, FD, of dergelijke boten, al bij krap windkracht 3 in een toestand van halfglijden te brengen. Voorwaarde is natuurlijk een harmonische samenwerking met de stuurman (hoe dat precies gebeurt, behandelen we in volgende gedeelten).

In het kruisrak biedt het werken met de

Op ruimschootse koersen moet de trapezeman vaak ver naar achteren gaan, zodat de stootrand tot aan de plaats van de stuurman opgeruwd moet zijn.

Gevaarlijker nog is echter een teveel gesloten haak, waar het oog in een netelige situatie als boven niet snel genoeg uitgehaald kan worden.

trapeze de fokkemaat daarentegen maar weinig mogelijkheden. Het is dan ook lang niet zo vermoeiend als tijdens het planeren op ruimschootse koersen en hij kan dan ook even bijkomen. Ondanks dat kan een goede trapezeman ook in het kruisrak voor de beslissende meter zorgen. Maar daar draait het dan vooral om een goede conditie. Wie de gestrekte houding, met de benen iets uit elkaar, de knieën licht gebogen, en de vrije arm in de nek, een heel kruisrak volhoudt, en daarbij nog voor snelle wendingen zorgt, kan zich echt wel tot de routiniers rekenen. De hamvraag is daarbij, of de naar achteren gestrekte vrije arm de hefboom nog wat groter maakt of alleen voor extra wind-

weerstand zorgt. Om die vraag te beantwoorden, moeten wij de zaak nuchter bekijken. Een in de nek gehouden (dus niet eenvoudig op de rug gehouden) arm, die door de gebruikelijke natte truien minstens tweemaal zijn normale gewicht heeft, zal in geen geval zijn effect missen, temeer omdat hij zo niet de minste windweerstand heeft.

De moeilijkheden, waarmee vrijwel iedere beginneling bij het eerste contact met de trapeze te maken krijgt, zijn betrekkelijk snel te overwinnen, als men zich maar aan bepaalde grondregels houdt. Afhankelijk van de verschillende boottypen en bouwwijzen kan het er allemaal wat verschillend uitzien. Maar door wat

Deze trapezeuitrusting is heel goed, hoewel de (ideaal gevormde) haak wat dichter tegen het lichaam aan zou moeten zitten. De fokkemaat ligt in zijn gordel als in een hangmat en de haak bevindt zich boven het zwaartepunt van

het lichaam, wat het minst vermoeiend is. Tussen ring en handgreep is een zelfremmend takeltje aangebracht; daarmee kan de trapezeman tijdens het hangen zijn hoogte veranderen.

droogtraining verkrijgt men in ieder geval de nodige coördinatie van de afzonderlijke handelingen.

De gemakkelijkste manier om in de trapeze te stappen is bij lichte zwaardboten de volgende. Met reeds ingehaakte trapezegordel zit de fokkemaat vlak achter het want op het gangboord. Hij trekt nu het voorste been op het gangboord en steunt met de voet tegen de wantspanner. Omdat de fokkeschoot zo mogelijk ook gedurende het buitenboord gaan met de hand moet worden vastgehouden, moet de constructie van de trapeze zo zijn uitgevoerd dat er al een lichte spanning op staat als de fokkemaat nog op het gangboord zit. Met de voorste voet tegen het want gesteund drukt de trapezeman dan

zijn zitvlak zo ver over de stootrand, tot de trapezedraad het volle lichaamsgewicht draagt. Daarbij kan hij zich met de voorste hand nog vasthouden aan een handgreep, die meestal aan de trapezedraad is bevestigd, terwijl de achterste hand de fokkeschoot vasthoudt. Tegelijkertijd trekt hij ook het achterste been bij en zet de tweede voet tegen de stootrand. Als de trapezeman dan met licht gespreide en gestrekte benen helemaal aan de trapeze hangt, dan moet zijn lichaam een hoek van 85-90° met de mast maken. Omdat de banden van de trapezebroek altijd wat meegeven, is het handhaven van de juiste hanghoek niet altijd eenvoudig. Vindingrijke zeilers verhelpen dat door tussen de haak en de trapezedraad

Dit is de typische beginstand om in de trapeze te gaan hangen. Met de voet van het voorste, gebogen been steunt de fokkemaat tegen stootrand en want, drukt zichzelf dan van de boot weg en trekt tegelijkertijd het andere been

mee. Daarbij houdt hij zich met de voorste hand vast aan de uiterst nuttige handgreep, die meestal aan de trapezedraad is gemonteerd en intussen bedient hij met de andere hand de fokkeschoot.

een drieschijfstakeltje te monteren, waarvan het halende part te allen tijde op de kamvormig geribbelde binnenkant van de bovenste schijf kan worden belegd. Door aantrekken of opvieren van het halende part kan de fokkemaat, terwijl hij buitenboord hangt, snel en moeiteloos zijn hanghoek verstellen.

Als de wind afflauwt gaat de trapezeman eerst op z'n hurken tegen de stootrand zitten, laat dan z'n voeten van de stootrand over het gangboord in de kuip glijden en trekt zichzelf aan de handgreep op het gangboord. Daarbij houdt hij in de vrije hand de fokkeschoot. De andere, veel door beginners toegepaste methode, waarbij de fokkemaat zich zo ver naar achteren laat glijden, tot hij met zijn zitvlak op het gangboord komt, is niet aan te bevelen omdat daarbij de stuurman wordt gehinderd. Bovendien komt het lichaamsgewicht daardoor te veel naar achteren, wat vooral bij opkruisen ongunstig werkt op de trim van de boot.

Trim en techniek bij het opkruisen

Hoe win ik met mijn boot onder alle omstandigheden zo veel mogelijk hoogte? Deze vraag zo goed mogelijk te beantwoorden is de opzet van de volgende drie gedeelten. Zowel de trim als de techniek worden daarbij primair door twee factoren bepaald, n.l. de windkracht en het golvenbeeld - en dat geldt voor iedere koers. Maximale snelheid is - naast de juiste zeiltechniek - echter tevens het resultaat van een juiste combinatie van twee hoofdfactoren: ten eerste van de boottrim, die uit lateraaltrim en gewichts-

trim bestaat, en de tuigtrim, dus de optimale stand van mast en zeilen. Alleen wie de voortdurende wisselwerking van deze beide componenten goed beheerst, zal in staat zijn uit zijn boot de grootst mogelijke snelheid en hoogte te halen.

Opkruisen bij zwakke wind

In dit gedeelte behandelen we trim en techniek bij zwakke wind, zo tot ongeveer windkracht 1½. De *boottrim* zal bij dit weer reeds duidelijk zijn. Het gaat erom dat het natte oppervlak zo klein mogelijk wordt gemaakt, want bij deze kleine snelheden maakt de wrijvingsweerstand 80-90% van de totale weerstand uit. Daarom moet het gewicht van de bemanning zo ver mogelijk naar voren worden gebracht,

tot de spiegel helemaal uit het water komt. En daar moet in de eerste plaats de fokkemaat voor zorgen, want de bewegingsvrijheid van de stuurman is tamelijk beperkt. Bij de meeste boten is het al voldoende als de fokkemaat voor het loefwant ter hoogte van de mast zit. Daar kan hij dan ook zo ver naar lij glijden,

Op deze foto heeft de bemanning de gewichtstrim goed aangepast aan de zwakke wind. Maar de fok zou op deze 505 best wat losser mogen worden gevoerd.

53

tot de boot licht begint te hellen, want zo wordt het natte oppervlak nog wat meer gereduceerd. De romp zakt er aan lij wel wat dieper in, maar het onderwateroppervlak dat aan loef bóven water komt, is dan veel groter. Door deze helling van 5 - 15° (afhankelijk van windkracht en boottype) krijgt men dan wel een asymmetrische waterlijn, wat de weerstand iets vergroot. Toch wordt ook dit nadeel ruimschoots goedgemaakt door het voordeel van het aanzienlijk gereduceerde natte oppervlak. Daarentegen wekt de door de helling veroorzaakte asymmetrie van de waterlijn een tendens tot loefgierigheid op, die ertoe bijdraagt om de bij deze zwakke wind meestal bestaande kleine lijgierigheid te compenseren.

Maar ook de verplaatsing van het lichaamsgewicht naar voren dient niet alleen om het natte oppervlak kleiner te maken, maar gaat tevens de lijgierigheid tegen. Daardoor verschuift n.l. het lateraalplan en daarmee ook het lateraalpunt naar voren. Voorwaarde is natuurlijk dat het zwaard zo ver mogelijk is gevierd. Het roerblad daarentegen mag niet altijd helemaal omlaag staan, want bij een hoek van ca. 60 - 70° zijn de meeste zwaardboten gevoeliger te sturen en reageren ze spontaner op de bewegingen van het roer.

Alleen als de boot dan nog enigszins lijgierig blijft, laten wij ook het roerblad loodrecht zakken. Bij elkaar moeten al deze factoren ervoor zorgen dat de boot helemaal in balans op het roer ligt. Bij heel weinig wind, dus ongeveer windkracht 1 en minder, kan men de helling overigens nog wel een beetje, tot ca. 20°, vergroten. De helling helpt dan mee

om de bolling in het zeil te krijgen, daar het beetje wind alleen dat niet meer klaarspeelt.

Hiermee zijn we bij de *tuigtrim* aangekomen, waarbij het dus aankomt op een optimale instelling van mast en zeil ten opzichte van elkaar. Zoals reeds in het hoofdstuk over *tuigage* en *zeil* is gezegd, is men het er thans zowel in theorie als in praktijk over eens, dat een gelijkmatig gebold zeil met de buik in het midden het meest effectief is, zowel om hoog te varen als voor de snelheid. Maar dit was technisch pas mogelijk nadat men erin slaagde doeksoorten te weven, die na de verwerking ook inderdaad de hun gegeven vorm behielden. De grootste bolling ligt bij zo'n zeil dan ook niet meer op eenderde vanaf de voorkant, maar ongeveer in het midden. Ofschoon de diepte van het profiel gelijk is gebleven, kan daardoor met een kleinere invalshoek van de wind worden gezeild en zo kan men enkele graden hoger zeilen zonder dat het zeil achter de mast gaat killen.

Zo'n zeil levert ook meer stuwkracht, vooral bij zwakke tot matige wind, waarbij de bolling volledig wordt gebruikt. Daar-

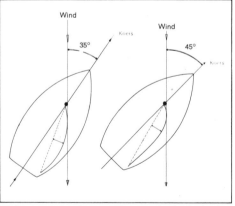

Links een modern zeil met de buik in het midden; rechts een zeil met het gebruikelijke vogelvleugel-profiel. Bij het linker zeil ligt de grootste profieldiepte niet meer op 30%, maar op 50%, dus precies in het midden van de koorde.

door komt namelijk het achterlijk met de zeillatten verder naar binnen - of anders gezegd, het achterlijk van zo'n zeil is meer gesloten dan dat van een overeenkomstig geprofileerde vogelvleugel. En dat is net goed, want een gesloten zeil geeft meer voortstuwende kracht dan een open zeil. Weliswaar is ook de hellende kracht dan groter, maar dat is nog niet van belang zolang de bemanning genoeg tegenwicht kan leveren. (Wat we bij harde wind daartegen kunnen doen, wordt nog in de betreffende gedeelten verklaard.)

Vanzelfsprekend is ook een volgens deze inzichten gesneden fok effectiever dan een met de buik dicht bij het voorlijk, vooral omdat de invallende wind niet door een dikke mast wordt verstoord. Een vlakkere voorzijde van het profiel komt dus direct de invalshoek van de wind ten goede. Daartegenover duiken hier andere problemen op. Bij de fok ontbreekt bijvoorbeeld de flexibele mast, waarmee het profiel naar voren toe vlakker te trimmen zou zijn. In plaats daarvan hangt het slecht aan het recht doorlopende voorstag, dat meestal onder belasting zelfs nog naar opzij en naar achteren wat doorbuigt. Het tweede kritische punt betreft het maken van zo'n zeil, want de diagonale sterkte moet bij het doek voor een fok extreem groot zijn, omdat de totale druk op het zeil in één punt wordt opgevangen, namelijk in de schoothoek. Maar intussen heeft men ook dit probleem opgelost. Juist bij zwakke wind en glad water kan men met zo'n fok uiterst hoog-aan-de-wind zeilen, want vooral onder die omstandigheden mag de intreehoek van het zeil bijzonder vlak zijn. Dat betekent, dat het leioog zo

ver mogelijk naar binnen moet worden verplaatst. Hóe ver, dat hangt in de eerste plaats van de grootte en de 'snit' van de fok af, maar in de regel mag de hoek des te kleiner zijn, naarmate de fok het grootzeil minder overlapt. Bij de internationale 505 klasse is hij bijvoorbeeld al tot 7° teruggebracht. Omdat in dit geval ook het achterlijk van de fok nog verder naar binnen komt zal daardoor - net als bij ver overlappende genua's zoals bij de FD - nog meer wind uit de fok tegen het grootzeil blazen; daarom moet het bovenste deel van het achterlijk van zo'n zeil goed uitwaaien want juist daar bovenin is de spleet tussen fok en grootzeil bijzonder smal.

Voor de zeilmaker betekent dat weer, dat de diagonale sterkte van het doek in het sterk belaste gebied van de middennaad zeer groot moet zijn en in het bovenste derde deel van het achterlijk zeer klein. Dat zo'n fok alleen samen met een modern middenbuik-zeil optimaal werkt, zal nu duidelijk zijn.

Derhalve blijken ook steeds duidelijker de voordelen van niet alleen in langsrichting, maar ook in dwarsrichting verstelbare leiogen. Vooral omdat de nieuwe zeilvormen ook wat betreft de trekrichting van de schoot niet meer met de oude overeenkomen. Was het oriëntatiepunt tot nu toe de denkbeeldige verlenging van de middennaad - nu plaatst men het leioog in elk geval bij zwakke en matige wind verder naar voren. Want ook de fok moet - in overeenstemming met het grootzeil - een zo gelijkmatig mogelijk verlopend cirkelprofiel krijgen. Desondanks zal een goede fok bovenaan bij het achterlijk open blijven. Verder moet het onderlijk zo laag zijn gesneden, dat

en mast, en ook bij het voorlijk van de fok. Bij zeer zwakke wind maken zelfs over het grootzeil verspreide plooien van de buik niets uit, als ze maar zo gelijkmatig mogelijk en straalsgewijs naar het midden van het zeil lopen. De zeilen krijgen dan de volle, door de zeilmaker erin gemaakte, bolling.

Als het grootzeil erg buikig is of als een ver overlappende genua een tegenbuik erin drukt, wordt de mast stijf en recht gehouden of over zijn gehele lengte licht

het precies tegen het dek sluit. Daardoor kan de winddruk op de loefzijde van het zeil niet, onder het onderlijk door, aan de andere kant van de onderdruk komen; daardoor zou anders het drukverschil kleiner worden en de totale voortstuwende kracht van het zeil verminderen.

Na deze kleine afdwaling gaan we weer terug naar de praktijk van de tuigtrim, waarbij het in dit geval niet veel uitmaakt of men met een vogelvleugel-profiel of een middenbuik-zeil vaart. In wezen blijft 't hetzelfde. Maar in ieder geval zal dus de buikdiepte van het zeil helemaal moeten worden uitgebuit. Dat wil zeggen, dat zowel voor- en onderlijk van het grootzeil als ook het voorlijk van de fok zo ver worden opgevierd, dat er net kleine dwarsplooitjes gaan ontstaan bij giek

Deze foto's tonen twee mogelijkheden om het leioog van de fokkeschoot dwarsscheeps te verstellen; boven bij een Fireball, onder bij een 470.

Een loopwagen voor de grootschoot is tegenwoordig ook bij zwakke wind niet overbodig. Door de loopwagen naar loef te halen (foto) kan namelijk, niettegenstaande de giek bijna midscheeps staat, toch het achterlijk goed

gebogen. In dit geval maakt een lichte kromming van de mast die profieldiepte van het grootzeil enige centimeters kleiner. Haalt men echter bij het opkruisen de grootschoot stijf aan, dan veroorzaakt dat bij een zwakke mast wellicht al een te sterke kromming; daarom moet men deze heel lichte bocht liever door een stijf doorgezette giekneerhouder teweegbrengen.

Want een stijf doorgezette grootschoot oefent een trekkracht op het achterlijk

uit, die weer op de mast wordt overgebracht en daar een buiging veroorzaakt. De grootschoot mag dan ook alleen worden gebruikt om de hoogte van de giek, dus de verticale hoek, (en daarmee de spanning op het achterlijk) te regelen, maar niet de horizontale hoek met de langsscheepse richting. Daarvoor dient namelijk de loopwagen op de overloop. Die zorgt ervoor dat de giek, ondanks een (betrekkelijk) losse grootschootvoering, zo dicht mogelijk bij de midscheepse as

wordt gehaald, namelijk door de loopwagen op de rail ver genoeg naar loef te halen. En dat moet bij open boten, waarbij de loopwagen over de hele breedte over de spiegel loopt, nog meer het geval zijn, dan bij boten met centrale schootvoering.

Op deze manier oefent het zeil geen trekkracht uit op het achterlijk, de mast blijft dan zo recht mogelijk, de instelhoek

openwaaien, wat soms nodig kan zijn.
Wil men de giek zónder loopwagen zo ver midscheeps brengen, dan wordt de spanning op de grootschoot zo groot, dat het achterlijk daardoor wordt gesloten.

Hier klopt alles: gewichtstrim naar voren en naar lij, tuigtrim met bijna rechte mast en giek. De foto werd gemaakt bij ongeveer windkracht 1¹/₂.

57

van de giek is echter door de naar loef gehaalde loopwagen klein genoeg om zo hoog mogelijk te kunnen zeilen, wat juist bij licht weer en vlak water zeer belangrijk is. De bovenste zeillat, die meestal tot het voorlijk doorloopt, moet soepel zijn en zo in de zeillatzak worden gespannen dat hij over de hele lengte harmonisch buigt. Ook mag de fok bij deze zwakke wind in geen geval als een plank worden dichtgehaald, ongeacht of het water glad is of dat er wat deining is. Zoveel mogelijk hoogte winnen is echter ook bij licht weer afhankelijk van de juiste *zeiltechniek*. Daarbij is de rust in de boot veel belangrijker dan men meestal aanneemt. Iedere overbodige en abrupte beweging kan de zeilen doen klapperen en beïnvloedt het verloop van de waterstroom langs het onderwaterschip, dat juist bij dit weer liefst niet mag worden

Bij deze windkracht van krap 2 helt de voorste boot te ver naar lij. Bovendien moeten de nog opkruisende boten alle drie wat minder 'opknijpen' en de zeilen wat meer 'vol houden'.

onderbroken. Bovendien moet de stuurman ruwe roerbewegingen vermijden en koersveranderingen zo soepel en rustig mogelijk uitvoeren. Hetzelfde geldt ook voor het overstag gaan, waarbij het roerblad alleen de eigen beweging van de boot moet volgen. Want bij een iets grotere helling zal de boot uit zichzelf overstag gaan. Maar concentratie- en waarnemingsvermogen spelen bij het opkruisen bij zwakke wind een niet minder belangrijke rol dan gevoelig sturen en een juiste trim. Want juist zulke weersomstandigheden gaan gepaard met veelvuldige veranderingen in windrichting.

Op vlak water kan men zo hoog mogelijk aan de wind proberen te varen. Dat vereist oplettend sturen, omdat het bij de nieuwe zeilvormen - die van vorm nogal vlak zijn - over het algemeen mogelijk is dat men te hoog opknijpt, zonder dat dit aan het invallen van het voorlijk van de fok te merken is. Maar bij doorstaande deining of andere golfvorming moeten de schoten wat ruimer worden gevoerd. Hierbij komt het namelijk nog veel meer dan op vlak water aan op een diep, gesloten profiel, omdat de wind daarin kracht ontwikkelt, en kracht heeft men nodig om de remmende werking van de tegen de romp slaande golven gemakkelijker te overwinnen. Bovendien wordt door het wat ruimer voeren van de schoten voorkomen dat de bewegingen van de boot even sterk worden overgebracht op de zeilen. Omdat men daardoor wat voller vaart moet men weliswaar wat hoogteverlies op de koop toe nemen, maar grotere snelheid en een kleinere drift maken dat weer helemaal goed.

Opkruisen bij matige wind

Waait het met windkracht 2 tot 3, dus nog net geen wind voor de trapeze, dan treden in toenemende mate andere dynamische krachten op, die natuurlijk ook de *boottrim* veranderen. Het verkleinen van het natte oppervlak wordt nu bijvoorbeeld minder belangrijk. In plaats daarvan wordt de boot nu volgens standaardtrim gezeild, dus zoveel mogelijk rechtop (met hoogstens 5 graden helling) en met het lichaamsgewicht boven het zwaartepunt van de boot, dus zoveel mogelijk in het midden.

Het zwaard blijft ook nu loodrecht omlaag, behalve wanneer de boot al een beetje loefgierig wordt. In dat geval kan het zwaard wat omhoog worden gehaald, zodat het onderste deel een beetje naar

Dit tuig is voor middelmatige windkracht en vlak water goed getrimd. De harmonisch over de hele lengte van de mast verlopende buiging wordt bepaald door de goed aangehaalde grootschoot.

En zo zien de zeilen er van achteren af uit: de nu al een beetje sterke winddruk opent vooral bij een smal, hoog grootzeil zoals op deze boot het achterlijk op z'n minst al voor de bovenste helft.

achteren verschuift, waardoor het lateraalpunt weer in overeenstemming komt met
het zeilpunt. Daarentegen wordt het roerblad nu in ieder geval in de laagste stand
gebracht, omdat de boot door de grotere
snelheid directer op de roerbewegingen
reageert en daarom de langere hefboom
niet meer nodig heeft.

Bij de *tuigtrim* kan de mast nu langzamerhand laten zien, hoe goed hij met de giek
harmonieert. De giek, die over het algemeen in alle richtingen tamelijk stijf moet
zijn, wordt nu met de grootschoot strak-

ker aangehaald dan bij zwakke wind; want
door de hogere snelheid valt de schijnbare wind onder een kleinere hoek in en
dat vereist ook een kleinere invalshoek
van de giek. Ook de fok kan nu goed worden dichtgehaald, waarbij het leioog weer
een klein beetje naar achteren moet worden verschoven dus ongeveer in de denkbeeldige verlenging van de middennaad.
Of, bij voorzeilen zonder middennaad, in
het verlengde van het midden van de
schoothoek.

De nu strakker aangehaalde giek veroor-

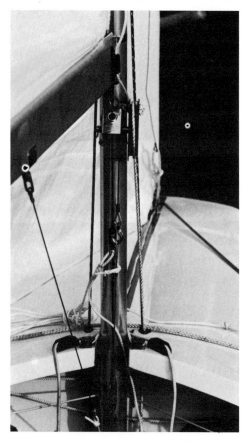

*Een mastbuigingsregelaar ter hoogte van het
dek is tegenwoordig een van de belangrijkste
triminrichtingen op moderne lichte zwaardboten. Op de Fireball links wordt dat heel
eenvoudig bereikt met een lijntje om de voorkant van de mast, dat door twee geleideblokjes*

*loopt en in twee knijpklemmen vast zit. Moet
de mast recht blijven, dan wordt het lijntje
eenvoudig stijf aangehaald. Rechts onder een
mastbuigingsregeling op een 470. De foto daarboven toont een van de modernste verstel-
mogelijkheden voor de mastvoet.*

zaakt via de zoom van het achterlijk nu ook een sterkere kromming van de mast, en die moet aan de top - zowel naar opzij alsook naar achteren - groter zijn dan in het midden van de mast, waar men bij matige wind nog heel wat profiel in het zeil kan gebruiken. Daarom moet de buiging in het onderste tweederde gedeelte van de mast òfwel door trekkende zalings of door een mastbuigingsregeling binnen bepaalde grenzen worden gehouden. Deze mastregeling bestaat vooral bij plakhouten boten enkel uit simpele houten

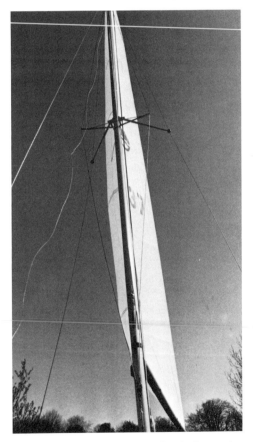

Neemt de wind toe tot windkracht 2 à 3, dan moeten in overeenstemming met de verder aangehaalde giek ook de lijken strakker worden gespannen; anders ontstaan er bij het voorlijk plooien, zoals op de bovenste foto. Want de buik van het zeil wordt geregeld vanuit het voorlijk; de twee onderste foto's laten zien hoeveel een zeil al vlakker wordt door de spanning op het voorlijk maar een beetje groter te maken (zonder andere veranderingen aan de tuigage).

61

keggen; daarmee geeft men de mast waar hij door het dek gaat - al naar wens - ruimte om naar voren door te buigen, of juist niet. Polyester boten met min of meer vrijstaande mast hebben in plaats hiervan veelal een hefboom-mechanisme, waarmee met spanning op talies de mastbuiging ter plaatse wordt beïnvloed. En die moet men niet onderschatten, want de hefboomarm van de mastbuigingsregeling tot de mastvoet is in vergelijking tot de overige mastlengte erg klein, zodat kleine veranderingen de buiging al sterk beïnvloeden. In dit geval zal men bij een erg soepele mast natuurlijk proberen, hem onderaan zó goed onder controle te houden, dat hij niet sterker buigt dan men wenst. Overigens moet men er steeds aan denken dat zalings en mastbuigingsregeling een voortdurende wisselwerking op elkaar hebben. In tegenstelling tot de zalings is een mastbuigingsregeling ook tijdens het zeilen te bedienen.

Maar over het algemeen is de grote vraag momenteel naar 'stijve masten', zodat de trekkracht op de grootschoot de juiste buiging veroorzaakt. Daarbij komt de sterkere winddruk, die mede ervoor zorgt dat het achterste deel van het zeil wat verder uitwaait en niet meer zo ver naar binnen komt. Maar met de juiste buiging van de mast is men er nog niet mee, want men komt al gauw tot de ontdekking dat van de giek tot de mast het hele zeil vol schuinlopende plooien zit. Men kan ze laten verdwijnen door de spanning op de lijken aan te passen aan de buiging van de mast en de winddruk op de zeilen. Omdat de buik in het zeil met het voorlijk geregeld kan worden, moet het voorlijk zo ver worden gespannen tot deze plooien zijn verdwenen; bij de talie onder aan het voor-

lijk en bij het grootzeil door de giek langs de mastrail verder omlaag te trekken. Natuurlijk moet de spanning op het onderlijk van het grootzeil eveneens worden aangepast.

Om die spanning op het voorlijk te regelen is er bij het grootzeil echter nog een andere mogelijkheid: het Cunningham-hole. Het is een rond kousje, dat in bijna alle zeilen op ca. 10 - 20 cm boven de halshoek, direct achter het voorlijk, is genaaid of geperst. Met een lijntje, dat door dit kousje loopt (soms is in plaats van een kousje zelfs een blokje aan het zeil genaaid, omdat de wrijvingsweerstand kleiner is) kan de spanning op het voorlijk zonder moeite ook onder het zeilen worden veranderd. Anders moet men de giek bij de mast verder naar beneden halen, wat echter vooral bij strak aangehaalde schoot een inspannend karwei is. Het doorzetten van het lijntje door het Cunningham-hole heeft als gevolg dat er bij de hals ook plooien ontstaan, maar deze verstoring is niet zo erg omdat mast en giek in deze hoek toch al turbulentie veroorzaken. Het zeil begint toch pas verder naar achteren te 'trekken'. Als resultaat van de masttrim krijgen we bij een windkracht tot ca. 3, een zeil waarvan de meeste bolling nog weliswaar in het midden ligt, maar waarbij deze door een wat sterkere kromming van de mast wat vlakker is geworden.

Wat de *zeiltechniek* betreft zal de bemanning - zoals we al schreven - haar gewicht zo dicht mogelijk bij elkaar in het midden van de boot concentreren, om minder windweerstand te veroorzaken. Daarbij zal de stuurman zo ver naar voren moeten zitten, dat hij de boot met de stuurstok nog goed kan besturen, want zuiging

achter de spiegel is bij dit weer ongewenst. De boot loopt dan ook gemakkelijker door de nu ontstane golfjes. Sterk
overhellen moet worden vermeden, want
het veroorzaakt niet alleen snelheidsverlies door de toegenomen loefgierigheid,
maar ook een vermindering van het geprojecteerde oppervlak van het lateraalplan;
of anders gezegd: meer drift. Veranderingen in windsterkte kunnen meestal wel
door normaal overhangen aan de hangbanden worden opgevangen. De bemanning kan nu ook zo hoog mogelijk zeilen,
behalve als er al (of nog) flinke golven lopen. In dit geval worden de schoten niet

zo strak aangehaald, de loopwagen wordt
eventueel wat naar lij versteld en het zeil
wordt wat voller gehouden. Want, zoals
we reeds zeiden, hier hebben we voornamelijk kracht in voorwaartse richting
nodig en niet alleen maximale hoogte.

Kruisen bij harde wind

De *boottrim* zal bij dit weer duidelijk zijn.
Het komt er op aan, de boot onder alle
omstandigheden zo goed mogelijk rechtop te houden - maar zo weinig mogelijk
ten koste van de snelheid. Want wat een
grotere helling voor kwaad aanricht is
bekend: het lateraaloppervlak wordt

Deze boot is voor middelmatige wind voor-
beeldig getrimd. De bemanningsleden zitten
vlak naast elkaar in het midden van de boot en
zij houden hun goed op het roer liggende
scheepje bijna rechtop. De zeilen hebben nog

bijna hun volledige bolling en produceren een
maximale voortstuwingskracht. Dankzij de
staaldraadjes tussen de bovenste grootschoot-
blokken en de giek, is er een kleinere schoot-
lengte nodig.

kleiner, terwijl de loefgierigheid tegelijkertijd toeneemt, wat op zijn beurt weer remmend tegenroer geven als gevolg heeft. Het betekent tevens meer drift, en daarmee niet alleen verlies aan hoogte, maar ook aan voortstuwende kracht. Zwaard en roer blijven dan ook helemaal naar beneden, tenzij men er de voorkeur aan geeft om de boot ook bij het kruisen tegen het planeren aan te krijgen. Lukt dat, dan moet de bemanning haar gewichtszwaartepunt niet meer ongeveer in het midden van de boot houden, maar net als op ruimschootse planeerrakken naar achteren brengen. Ook kan dan het zwaard wat worden opgehaald, omdat men immers bij toenemende snelheid minder lateraaloppervlak nodig heeft. Bovendien verschuift het lateraalpunt hierdoor wat naar achteren. (Waarom en onder welke omstandigheden het zinvol is om de boot bij het opkruisen bijna tot planeren te brengen, wordt in het gedeelte over zeiltechniek behandeld.) Het grondprincipe van de *tuigtrim* luidt: hoe harder de wind, des te vlakker en opener moeten de zeilen zijn. En dat werkt niet alleen, als het tuig flexibel genoeg is om zich aan de karakteristieke bolling van het grootzeil aan te passen. Met andere woorden: de mast moet zoveel buik uit het zeil trekken, als voor de bemanning nodig is om de boot rechtop te kunnen houden. En het belangrijkste punt is hierbij, dat het zeil zelfs dán nog zijn optimale vorm moet behouden en niet overal plooien mag krijgen of zelfs van boven veel verder gaan uitwaaien dan onderaan. Zoals we al schreven, zorgt de buik in het zeil weliswaar voor meer snelheid en hoogte, maar bij toenemende wind krijgen we ook meer helling; en

Zo doen wij het bij harde wind. De bemanningsleden in voorbeeldige houding en dicht bij elkaar ter hoogte van het zwaartepunt van de boot, dat bij weinig golfslag dicht achter het midden van de boot moet liggen. De boot

loopt er in zeilbalans en vrijwel rechtop met
een goede snelheid doorheen. De stuurman
houdt de stuurstok met twee vingers vast en
men kan wel zien dat er practisch geen druk
op het roer staat.

65

als de bemanning niet meer in staat is deze helling door haar gewicht te compenseren, betekent dat verlies aan snelheid en hoogte.

Er is een algemene tendens naar 'vlakkere zeilen met doorlopend profiel aan stijvere masten', maar dat verandert niets aan het feit dat het tegenwoordig algemeen gebruikte, cirkelvormige profiel zelfs bij een tamelijk vlak zeil weliswaar de grootste voortstuwende kracht geeft, maar daarmee ook een des te grotere dwarskracht en daardoor tevens een grotere hellende kracht produceert. En hoe hoger de hellende kracht in het zeil aangrijpt, des te langer is de arm van het hellende koppel en des te meer zal de boot gaan overhellen. Dit nadeel kan men alleen kwijt raken met een zeil, waarvan het achterlijk bij harde wind goed vlak openwaait; dan kan de wind er zo gemakkelijk moge-

lijk uitstromen, zodat de hellende kracht nauwelijks een kans krijgt. En de kunst van het zeilmaken bestaat erin een zeil te snijden, waarvan het achterlijk, bij de overeenkomstige trim, van boven naar onder steeds verder vlak open gaat staan. Want vanzelfsprekend moet het 't eerst open gaan staan, waar het hellingsaandeel in verhouding tot de voortstuwende kracht het grootste is, dus helemaal bovenaan. Dat werkt echter alleen in samenwerking met de juiste mastbuiging; en dat betekent dat deze bovenaan meer moet buigen dan in het onderste tweederde gedeelte. In het resterende deel mag hij daarentegen slechts zover buigen, als de winddruk vereist, dus zolang de bemanning de boot nog rechtop kan houden.

Het geheel is in principe een heel simpele zaak, die er zo uitziet: hoe groter de hel-

Hoewel de loopwagen hier nog midscheeps staat, heeft deze bemanning haar boot goed in de hand. Mede doordat het zeil smal en hoog is, waait het achterlijk goed open.

Deze FD-bemanning heeft haar tuigage typisch voor zwaar weer getrimd, hoewel de buiging van de mast nog niet extreem is. Voor de stijve gieken, die thans algemeen worden gebruikt, is deze doorbuiging echter wel een maximum.

lende kracht, des te meer moet de bolling uit het zeil worden gehaald en wel - zoals reeds gezegd - achtereenvolgens van boven naar onderen. Men moet er dus steeds op bedacht zijn, om tenminste in het onderste derde deel nog het meest effectieve profiel te handhaven, want juist hier is de voortstuwende kracht van het zeil in verhouding tot de hellende werking het grootste. Daarom moet men het achterlijk in dit gebied zo lang gesloten houden als men het naar boven nog verder kan laten openwaaien.

Om deze reden is ook een relatief stijve giek belangrijk. Want een slappe giek, doet precies wat hij niet mag doen: hij trekt in het onderste deel van het zeil de buik eruit en zorgt dat daar het achterlijk vlak openwaait, daar hij precies in het midden - waar de grootschoot aangrijpt - naar onderen doorbuigt en dientengevol-

Is een vrij stijve mast niet gestaagd (zoals op deze Fireball), dan buigt bij toenemende wind het onderste deel ervan te veel naar voren en naar loef door; dat is alleen al het gevolg van de sterke druk van de giek.

ge aan de nok naar boven en naar opzij buigt. Het tegenovergestelde, een in het midden naar boven en aan de nok naar onderen buigende giek, waarbij de grootschoot van de spiegel naar de nok van de giek loopt, is echter nog erger. Ofschoon de centrale schootvoering al sinds jaren de meest praktische en effectieve blijkt te zijn, zijn er toch nog genoeg boten waarbij de schootvoering van de nok van de giek naar de spiegel loopt.

In de praktijk ziet het geheel er dus zo uit: bij windkracht 4 en daarboven worden in de eerste plaats voor- en onderlijn van het grootzeil en het voorlijk van de fok stijf doorgezet. Het leioog van de fokkeschoot moet daarbij in de denkbeeldige lijn liggen die de schoothoek van de fok middendoor deelt, of zelfs nog wat meer naar achteren, voor het geval dat te harde wind een beter openwaaien van het achterlijk vereist. Bij

Datzelfde kan ook voorkomen wanneer de zalings niet goed zijn ingesteld, zoals op deze foto. Het gevolg daarvan is dat het zeil van boven veel verder uitwaait dan van onderen, en daardoor wordt het veel minder effectief.

het grootzeil zorgen een strak aangehaald voor- en onderlijk - samen met de
buiging van de mast - voor een vlakker
en een naar het achterlijk toe openwaai-
end profiel. Bovendien vormen de gespannen lijken een extra beveiliging, dat
de (vlak getrokken) buik niet toch nog
voorbij het midden naar achteren verschuift. De mast moet dus vooral aan de
top soepel zijn, om daar zo ver naar lij en
naar achteren te kunnen doorbuigen, dat
het bovenste derde deel van het achterlijk goed kan openwaaien en gemakkelijk
de wind kan loslaten. Daarmee waait
dan een belangrijk deel van de hellende
druk uit het zeil, maar een naar verhouding
slechts klein gedeelte van de voortstuwende kracht. Hoe harder de wind wordt

en hoe minder de bemanning de boot
rechtop kan houden, des te verder moet
het openen van het achterlijk naar onderen gaan doorlopen. Daarvoor zorgt
een versterkte doorbuiging van de mast
naar voren in het onderste tweederde
gedeelte, dus van het aangrijpingspunt
van het voorstag naar beneden. Dat veroorzaakt niet alleen een afvlakking van het
profiel, maar een gelijktijdig openwaaien
van het achterlijk in dit gebied.
Bij een stijve mast, die wellicht niet voldoende buigt, verkrijgt men de nodige
doorbuiging het beste door naar achteren
gerichte, onder druk gezette zalings. Bij
een soepele mast daarentegen, die teveel
doorbuigt, moeten in de eerste plaats op
trek ingestelde zalings een te grote door-

*Alleen boven het aangrijpingspunt van het
voorstag moet de mast ook naar lij buigen.
Daardoor gaat het achterlijk van boven harmonisch open waaien, en dat is de plaats waar
het open waaien ook moet beginnen.*

68

buiging voorkomen. Worden diamantzalings toegepast, dan kan men daarmee
om te beginnen verhinderen dat de mast
in dwarsscheepse richting buigt, als zij
tenminste enigszins naar voren staan. In
dit geval kan ook de langsscheepse buiging van het middengedeelte van de mast
in een bepaalde mate worden beïnvloed.
De nadelen van de diamantzalings zijn
achter reeds genoemd. Ze fixeren de mast
te star over de gehele lengte, waardoor
hij zijn eigen elasticiteit grotendeels kwijt
raakt en dan in golven niet meer goed
genoeg kan meeveren. Ter controle van
de mastbuiging in langsscheepse richting
dient natuurlijk ook de mastbuigingsregeling aan de mastvoet. Daarbij moet men
er steeds op letten dat deze een nauwe

Bij eenmansboten zoals bij de Finnjol ont-
breekt de oprichtende hefboom van de trape-
zeman. Daarom moet de loopwagen al bij
ongeveer windkracht 3 naar lij worden gesteld.
Finn-zeilers moeten over veel spierkracht en
een goede conditie beschikken.

Onder het aangrijpingspunt van het voorstag
moet de mast daarentegen naar voren buigen,
en niet naar opzij. Is de mast echter te stijf en
buigt hij niet genoeg naar voren door, dan ge-
beurt hetzelfde als op deze foto: het zeil blijft

te buikig, waait boven veel verder uit dan
onderaan en raakt bij harde wind volkomen
uit model. Bovendien is het achterlijk van de
fok op deze boot te dicht, te veel gesloten.

69

Zijn buigingskarakteristiek komt in dit geval niet meer overeen met de ronding van het voorlijk van het zeil. Meer bolling valt er niet meer uit het zeil te trekken. Maar ook voor de juiste *zeiltechniek* zijn onder deze omstandigheden al echte specialisten nodig. Want de bemanning heeft nu nog de extra taak erbij gekregen om zeer snel reagerend en soepel tegenwicht te kunnen leveren aan de winddruk, zodat de boot zo goed mogelijk rechtop blijft zeilen. Daarom zullen zij beiden zo ver en zo lang mogelijk buitenboord hangen - de trapezeman in een gemakkelijke goed zittende gordel onder een hoek van 85 - 90° met de mast en de stuurman in een effectieve hangpositie met zijn voeten onder de hangbanden, die precies op de goede lengte zijn ingesteld. Om de windweerstand klein te houden, moeten ze allebei zo dicht mogelijk achter elkaar in dezelfde lijn overhangen, ter plaatse van het zwaartepunt van de boot. Dat hangt ook weer af van de betreffende kruistechniek die men toepast. Wil men bijvoorbeeld het voorschip ontlasten om - zoals steeds meer wordt gedaan - ook tijdens het opkruisen in een toestand van bijna planeren, van halfglijden te komen, dan zal de bemanning wat naar achteren gaan zitten om het gewichtszwaartepunt daarheen te verleggen. Deze techniek is bijzonder aan te bevelen voor lichte boten met een wat zware bemanning, die de boot nog goed rechtop kan houden. Wordt normaal zo hoog mogelijk gekruisd, dus vooral met zware boten, dan moet het gewichtszwaartepunt iets achter het midden van de boot liggen.

Het halfglijden is 't voordeligste bij het opkruisen in zeegang. Gaat men hierbij namelijk te veel op hoogte zeilen, dan

wisselwerking heeft met de zalings; dat wil zeggen, de regeling aan de mastvoet moet juist dát voor elkaar krijgen, wat de tijdens het zeilen niet meer instelbare zalings niet kunnen. Hij dient dus op de eerste plaats als fijnregeling.

Pas als het echt hard gaat waaien, kan ook het laatste derde deel van het achterlijk vlak worden gemaakt en wel door de mast ook onderaan meer te laten doorbuigen. Dat gebeurt met de regeling bij de mastvoet, respectievelijk met een stijf doorgezette giekneerhouder; en als dat niet voldoende is kunnen de grootschootblokjes aan de giek verder naar achteren worden geschoven, waardoor de drukcomponent van de schoot op de mast groter wordt. Juist in deze situatie zal men dan niet zelden kunnen vaststellen dat de mast sterker doorbuigt dan de snit van het zeil verdraagt. Dat kan worden vastgesteld aan de plooien die van de nok van de giek straalsgewijs naar het te slappe gedeelte van de mast lopen.

Op deze Korsar werd de loopwagen niet voldoende naar lij versteld, en daardoor helt de boot te sterk over. Om dat te voorkomen moet de stuurman gaan 'opknijpen', waardoor de boot echter aanzienlijk snelheid verliest. En dat

veroorzaakt niet alleen een grotere drift, maar ook meer kans op omslaan, omdat met de snelheidsvermindering ook de dynamische stabiliteit van de boot afneemt.

vaart men bijna recht tegen de golven in en de boot zal sterk afgeremd worden, omdat de golven ongeveer haaks op de windrichting lopen. Door iets af te vallen en tegelijk het lichaamsgewicht naar achteren te trimmen wordt de ontmoetingshoek met de golven gunstiger, de boeg komt bovendien gemakkelijker op de golven omhoog en de snelheid wordt belangrijk groter. Komen er echter een of meerdere bijzonder hoge golven aan, dan zal het meestal gunstiger zijn, de boot heel hoog aan de wind te sturen, waardoor de snelheid vermindert en de boot soepel over de golven wordt gedragen. Zijn de golven dan weer normaal, dan kan men direct wat afvallen en weer helemaal op snelheid gaan varen. Bij de laveer-

Is het opvieren in een vlaag niet te voorkomen, dan moet het met het grootzeil gebeuren en niet met de fok. Want anders wordt de loefgierigheid nog groter doordat het aangrijpingspunt van de winddruk naar achteren verschuift.

Hoe belangrijk het is om bij harde wind de boot rechtop te houden, blijkt wel overduidelijk uit deze foto. Door het overhellen wordt het lateraalvlak plotseling kleiner en dat veroorzaakt een grote drift; dat geeft niet alleen hoogteverlies, maar ook snelheidsvermindering omdat de grotere winddruk niet in voortstuwende kracht wordt omgezet.

71

techniek bij harde wind is het heel belangrijk om fok en grootzeil zoveel mogelijk synchroon, dus onder dezelfde invalshoek te voeren. Dat is een van de redenen, waarom juist bij harde wind stuurman en fokkemaat goed op elkaar ingespeeld moeten zijn. Dat men voor het overstag gaan een vlak stuk water met weinig golven afwacht, spreekt natuurlijk vanzelf. Om de wind net onder de goede hoek in de zeilen te laten vallen moet er voortdurend met schoten en loopwagen worden gespeeld. Bij boten zonder loopwagen kan een strak doorgezette giekneerhouder weliswaar tot op zekere hoogte deze functie vervangen, maar hij heeft een minder goed effect en is bovendien ook moeilijker te bedienen. Het

voor de loopwagenschootvoering karakteristieke, voortdurende spelen met hoogte en dwarsscheepse instelhoek van de giek, is met een neerhouder trouwens niet mogelijk, omdat de fokkemaat immers voortdurend in de trapeze hangt en hem pas bij het overstag gaan kan bedienen. Het gaat er dus om, steeds het gunstigste, weliswaar voortdurend variërende compromis te vinden tussen licht opvieren van de schoot en het naar lij verstellen van de loopwagen.

Trekt men namelijk vooral in zeegang, de schoten eenvoudig helemaal aan en vangt men de vlagen op door het vieren van de loopwagen, zoals dat nog vaak gebeurt, dan gebeurt er bijna hetzelfde als bij strak gespannen diamantzalings: de mast ver-

De techniek van het 'halfglijden' bij het opkruisen wordt tegenwoordig tenminste bij uitgesproken golven op bijna alle moderne zwaardboten toegepast. De gewichtstrim is dan zoals op deze foto.

72

liest zijn eigen elasticiteit, kan daardoor de bewegingen van de boot niet meer verend opvangen en de boot stampt zich snel vast in de golven. Bovendien wordt het zeilprofiel te vlak, waardoor de kracht op het zeil verloren gaat; en kracht is, zoals we al schreven, bij golven belangrijker dan een puur op snelheid getrimd zeil. Dus liever een verstandig (weliswaar alleen in de praktijk te bepalen) compromis tussen deze twee, zodat de mast de golven nog behoorlijk kan opvangen. Als houvast kan dienen, dat men bij veel golven eerder de schoot wat meer en de loopwagen wat minder opviert, terwijl men bij weinig golven juist het omgekeerde moet doen. Ook als de boot sterk loefgierig is, zal de beslissing eerder ten gunste van een verder naar lij gevierde loopwagen uitvallen. Omslaan komt tijdens het opkruisen betrekkelijk weinig voor en is meestal te voorkomen, omdat de boot op deze koers ook bij harde wind goed onder controle kan worden gehouden. Kritiek zal het echter worden bij bijzonder scherp invallende vlagen, zoals dat op binnenmeren of op zee bij aflandige wind onder een steile kust vaak het geval is. Dan is het zaak om bliksemsnel af te vallen, voordat men aan loeft te water gaat. Direct daarop kan men daartegenover des te hoger opknijpen, want in vlagen ruimt de wind, zoals bekend is, omdat de ware wind in verhouding tot de schijnbare wind is toegenomen.

Door de techniek van het 'halfglijden' - natuurlijk gekoppeld aan licht afvallen - ontmoet de boot de golven onder een iets gunstiger hoek zodat de boeg er beter doorheen snijdt. Anders gaat de boot hard in de golven stampen, wat dan natuurlijk snelheidsverlies en een grotere drift tot gevolg heeft. Bovendien komt er - zoals de foto laat zien - veel meer buiswater over.

Trim en techniek
op ruime koersen

Gaat het er bij het opkruisen vooral om, het ideale compromis te vinden tussen maximale snelheid en een zo groot mogelijke hoogte, dan heeft men het op ruime koersen tenminste in dit opzicht gemak-

Deze Snipe komt niet door-de-wind en drijft achteruit. De stuurman probeert vertwijfeld door hard roer geven nog over de andere boeg te komen. En de fokkemaat trekt de fok al over de andere kant bak, wat precies verkeerd is. In zo'n situatie werkt alleen dit: de stuurman moet de grootschoot helemaal aanhalen en het roer midscheeps houden, tot de boot vanzelf over de nieuwe of de oude boeg valt. Deze situatie komt vaak voor bij harde wind voor de start van een wedstrijd of bij het opkruisen, wanneer men overstag wil gaan maar te weinig vaart heeft. In twijfelgevallen kan men daarom beter voor het overstag gaan even afvallen en meer vaart gaan lopen en dan - maar liefst niet in de grootste golf - met een vloeiende beweging door-de-wind draaien. Daarbij moet men het echter liever niet zo doen als op deze FD (links). Hier trekt de fokkemaat de fok al naar het andere boord voordat de boot op-de-wind ligt. Hij kan beter wachten tot de boot precies op-de-wind ligt en de fok vanzelf naar de andere kant wil.

74

kelijker: hier staat namelijk uitsluitend de snelheid voorop. Men kan dus afzien van concessies ten gunste van andere factoren, zoals het winnen van hoogte bij het kruisen. Dientengevolge zijn de mogelijkheden om sneller bij het doel te komen dan de anderen, tenminste bij zwakke en matige wind, kleiner en gedifferentieerder dan bij het opkruisen. Want vanaf een bepaalde windkracht, namelijk waarbij planeren mogelijk wordt, zijn de kansen, voor een snelheidswinst dan ook des te groter, omdat dan de boten met maximale snelheid zeilen. Het verschil tussen goede en zeer goede zeiltechniek kan nu zonder meer binnen enkele minuten 50 - 100 m verschil uitmaken. Natuurlijk speelt daarbij ook een goed getrimde boot een belangrijke rol, maar die is in verhouding met een werkelijk verfijnde zeiltechniek betrekkelijk gering. Men zal begrijpen dat het ook in een leerboek vrijwel onmogelijk is, de hogeschoolzeiltechniek exact

duidelijk te maken. Want men kan niet in een paar abstracte zinnen uitleggen, wat in de eerste plaats louter een kwestie van gevoel en intuïtie is en waarvoor naast de nodige aanleg een jarenlange ervaring noodzakelijk is. Dat de naast de trimaanwijzingen toegevoegde technische verklaringen dan ook niet meer kunnen zijn dan een handleiding voor het eigen werk, zal dan ook voor iedereen duidelijk zijn.

Ruimschoots bij zwakke wind

Bij zwakke wind op ruime koersen is het motto van de *boottrim:* reductie van het natte oppervlak. Dus het lichaamsgewicht zo ver naar voren brengen, tot de spiegel helemaal boven water komt, en de boot een klein beetje doet overhellen. Zwaard en roer kunnen nu telkens bijna half omhoog worden gehaald, met bijna achterlijke wind wat meer dan op krappe ruimschootse koersen.

De *tuigtrim* is ook niet bijzonder gecompliceerd. De mast wordt recht gevoerd en voor- en onderlijk van het grootzeil en het voorlijk van de fok worden zo ver opgevierd, tot de zeilen hun volledige bolling krijgen. Bij het voorlijk van het grootzeil mogen zelfs - behalve op erg krappe ruimschootse koersen - lichte dwarsplooitjes ontstaan. Het leioog van de fok zit ongeveer op het verlengde van de middennaad of bij zeer zwakke wind zelfs nog iets ervoor. De loopwagen van de grootschoot wordt helemaal naar lij geschoven, en de giekneerhouder wordt slechts licht doorgezet.

Met de *zeiltechniek* wordt het al gecompliceerder, vooral wanneer de spinnaker wordt gezet. Als men die niet voert,

Veel fokkemaats geven er de voorkeur aan om ook bij zwakke wind de spinnaker vanuit de trapeze te hanteren, waarbij de stuurman natuurlijk aan lij moet gaan zitten. (Veel stuurlui zitten toch al liever aan lij, zodat de fokke-

maat dan in de trapeze móet.) Veelal kan men op deze manier niet alleen de spinnaker beter in de gaten houden, maar ook de trim van de boot beter uitbalanceren.

75

worden fok en grootzeil ieder zo ver opgevierd, dat ze bij het voorlijk net niet invallen. Wordt de spinnaker gezet, dan zal men de zeilen vooral op krappe ruim-schootse koersen wat dichter halen dan zonder spinnaker, want anders komt er te veel terugslag uit de spinnaker in de zeilen.

De fok blijft, zolang hij enigszins goed trekt, in ieder geval bij staan. Pas als de wind erg zwak wordt, dus bij windkracht 1 en minder, kan men de fok met een seizing bij elkaar binden òf, wat veel gemakkelijker is, met een fokroller op-rollen. Dan heeft men namelijk nog de mogelijkheid, om het laatste derde deel van de fok te laten staan, wat dikwijls heel voordelig kan zijn.

Op deze koersen zal de stuurman bijna altijd aan lij zitten en de fokkemaat aan loef voor het want; of de fokkemaat zal zelfs staan, om de spinnakerboom met de hand te bedienen. Want zo kan hij dit zeil gevoeliger en nauwkeuriger hanteren dan met ingehaakte spinnakerboom-neerhouder. Hij houdt de boom dus zo hoog, dat het loeflijk losjes de bolling van de spinnaker accentueert en bedient met de andere hand de lijschoot. Die moet hij ook nu weer steeds zo ver opvieren, tot het loeflijk van de spinnaker op het punt staat om te klappen. Want juist op krappe ruimschootse koersen komt het altijd er-op aan, dat de spinnaker de boot niet zo maar op zijn kant drukt, maar echte voorstuwende kracht levert.

Trim en techniek zijn op deze boot heel goed aangepast aan de zwakke wind. De FD is naar voren getrimd en heeft een kleine helling; het roerblad staat onder een hoek naar achteren.

De fok is opgerold zodat hij de windstroming niet verstoord langs de spinnaker, die op deze FD nog goed trekt; zoals hij hier wordt ge-voerd is hij nog maar net effectief.

De grens, tot waar de tegenwoordig gebruikelijke vlakke spinnakers nog meer snelheid geven dan de fok alleen zou doen, is intussen alleen door ervaring te ontdekken, want hij wordt door het samenwerken van meerdere factoren bepaald. De belangrijkste zijn de vorm en de stabiliteitsverhoudingen van de betreffende boot, de windkracht, de snit van de spinnaker en natuurlijk de ervaring en de kunde van de bemanning. Dit grensbereik varieert in de regel zo'n 10 graden, waarbij een koers van 60° in de meeste gevallen als maximum geldt. In normale gevallen zal men met een grote genua, zoals bijvoorbeeld de FD heeft, de spinnaker eerder bergen dan met een normale fok. Als richtlijn kan men echter aanhouden, dat de spinnaker uiterlijk omlaag moet worden gehaald als de spinnakerboom reeds tegen het voorlijk van de fok staat en de lijschoot zo strak moet worden aangehaald, dat het onderlijk van de spinnaker strak komt te staan en niet meer losjes de bolling ervan kan volgen. Afgezien daarvan is het zonder meer effectiever om in zo'n grensgeval eerst met de spinnaker wat af te vallen - zodat hij met zekerheid meer voortstuwende kracht levert dan de fok alleen - om daarna de spinnaker omlaag te halen en de rest van het rak alleen onder de fok, hoger te gaan zeilen. Ook op ruimschootse koersen bij zwakke wind geldt: zo licht en gevoelig mogelijk sturen en rustig bewegen.

Ruimschoots bij matige wind

De algemene regels voor de *boottrim* zijn in dit geval: de boot zo ver mogelijk voorover trimmen, tot het water glad onder de spiegel vandaan komt; de

helling zo klein mogelijk, tot de boot rechtop zeilt; het zwaard, zoals hiervoor, onder een hoek van 40 à 50° laten staan, het roerblad daarentegen nu tot ca. 60° laten zakken.

De *tuigtrim* is bij dit weer ook nog relatief ongecompliceerd. De mast krijgt nu alleen door een strak aangehaalde giekneerhouder een heel lichte doorbuiging over zijn hele lengte, zodat de buik een paar centimeter vlakker wordt en de spinnaker op krappe ruimschootse koersen niet zo gauw een tegenbuik in het grootzeil drukt. De lijken houden wat ruimte, maar toch niet zoveel als eerst. Het leioog van de fok ligt neutraal in het verlengde van de middennaad, de loopwagen blijft geheel aan lij.

In de *zeiltechniek* zijn nu de knapen, die enige trucs kunnen toepassen, al in het voordeel. Bijvoorbeeld om een boot bij krap windkracht 3 in plané te kunnen brengen. Dat is in de eerste plaats een

Onder deze omstandigheden kan de fok heel goed bij blijven staan, omdat het hier niet een ver overlappende genua is zoals bij de FD. Hoe groter de overlapping van de fok, des te eerder moet hij in twijfelgevallen worden gestreken.

kwestie van effectieve samenwerking tussen stuurman en fokkemaat. Die laatste speelt in dit geval bijna de belangrijkste rol; want alleen door zijn correcte spinnakerwerk in combinatie met een ritmisch verlopende beweging is de boot in staat om van de vaart dóór het water omhoog te komen en in plané te gaan.

De truc, die daarvoor nodig is, gaat ongeveer als volgt. De fokkemaat zit, met de trapezegordel al ingehaakt, op het loefboord en heeft in de ene hand de lijschoot en in de andere de loefschoot van de spinnaker, terwijl de enigszins naar boven staande spinnakerboom door de ingepikte neerhouder in deze stand wordt gefixeerd. Nu begint de stuurman een beetje op te loeven en hij trekt de grootschoot iets aan, waardoor de boot iets gaat hellen terwijl de fokkemaat - die de spinnaker oplettend hanteert - weliswaar al in de trapeze hangt, maar nog op zijn hurken tegen het boord zit. Wat nu komt gaat vrijwel gelijktijdig. De fokkemaat drukt zichzelf helemaal buitenboord, trekt de spinnaker met de beide schoten wat dichter, terwijl de stuurman met een ruk afvalt en zij allebei hun gewicht wat naar achteren brengen, zodat de boeg omhoog komt. Op dit moment, waarop de boot tegelijk afvalt en zich richt, is hij door deze extra voortstuwinggevende factoren in staat om van de vaart dóór het water in plané over te gaan. Dan ligt het aan de samenwerking van stuurman en fokkemaat om deze toestand door ritmisch afvallen en weer oploeven zo lang mogelijk vol te houden. In een wedstrijd zou het zo bijvoorbeeld mogelijk zijn om tegenover boten, die net niet uit het water omhoog kunnen komen, een voorsprong van wel een

De meest effectieve stand van de spinnaker is altijd het best geslaagde compromis tussen een ver opgevierde lijschoot en een zo ver mogelijk aangehaalde loefschoot. De opvattingen hierover lopen blijkbaar ver uit elkaar (zie foto).

halve baanlengte te behalen. Dat lichte bemanningen hierbij in het voordeel zijn, ligt voor de hand. Bij wedstrijden wordt deze techniek - te vaak en opvallend toegepast - echter vaak als 'pompen' opgevat en dat is volgens het wedstrijdreglement verboden. Men moet dus òf een onopvallende variant toepassen, of het alleen voor eigen plezier beoefenen. Het voordeligste - en volstrekt legitiem - is deze techniek echter bij bepaalde grensgevallen als de wind nog net niet sterk genoeg is om de boot in plané te brengen. Met dit kleine 'zetje' kan de boot vaak een heel rak in plané blijven, terwijl de anderen nog door het water ploegen. Zoals gezegd, het gewicht van de bemanning speelt daarbij een doorslaggevende rol. Is er geen mogelijkheid om te planeren, dan vaart de bemanning de boot zoveel

Deze boot zou bij ongeveer windkracht 3 al goed kunnen planeren. Maar dan moet de bemanning wel eerst haar gewicht veel verder naar achteren verplaatsen. Bovendien moet er dan veel beter op de stand van de zeilen worden gelet, want de spinnaker staat veel te dicht, *zoals blijkt uit het naar verhouding veel verder uitgevierde grootzeil. De 505 (boven) heeft een mastbuiging die voor ruimschootse koersen (bij windkracht 3 à 4) ongewoon sterk is.*

mogelijk als bij weinig wind, dat wil zeggen bijna rechtop.

Ruimschoots bij harde wind

Voor de *boottrim* komt het er onder deze omstandigheden weer op aan, de boot zoveel mogelijk rechtop te houden en om de boeg uit het water te tillen, omdat er meestal planeermogelijkheden aanwezig zijn; dus verplaatsing van het lichaamsgewicht naar achteren. De op deze koers vaak zeer sterke neiging tot loefgierigheid wordt, behalve door een zo horizontaal mogelijke ligging van de boot, ook nog tegengewerkt door een enigszins omhoog gehaald zwaard; want daardoor verandert zoals we al weten - niet alleen de hoek die het zwaard met de boot maakt, maar tegelijkertijd verschuift ook het

lateraalpunt naar achteren (richtwaarde voor de hoek van het zwaard 45°). Dit is overigens alleen mogelijk, omdat de boot bij deze snelheden praktisch geen drift heeft. Het roerblad daarentegen moet nu helemaal omlaag in de loodrechte stand. Voor de juiste *tuigtrim* worden nu voor- en onderlijk van het grootzeil en het voorlijk van de fok zo stijf mogelijk doorgezet zoals bij hoog aan-de-windse koersen, om een vlakker profiel te krijgen. Bij flink harde wind hoeft men daarentegen echt geen moeite te doen, om na het kruisen de lijken wat op te vieren, want dan loopt men toch al op topsnelheid. Analoog daaraan moet natuurlijk ook de mast meer buiging krijgen. Maar de meest effectieve manier daarvoor, namelijk een vrij sterke trek op de grootschoot recht omlaag, zal vanwege het uitwaaien

Deze bemanning demonstreert een ideale boottrim voor een rak dat met een knik in de schoot snel kan worden gevaren. De boeg komt bijna tot de mast uit het water en de fokkemaat houdt de boot zo in evenwicht, dat hij bijna helemaal rechtop blijft.

van de giek naar buiten wat van zijn effect verliezen; daardoor zal - en moet - de buiging ook niet zo uitgesproken zijn als op hoog aan-de-windse koersen. Door juist ingestelde zalings en mastbuigingsregeling, in de eerste plaats echter door een stijf doorgezette neerhouder, zal men dus de gewenste buiging verkrijgen. De neerhouder voorkomt daarbij meteen het opwippen van de giek; daarmee is hij de belangrijkste garantie voor een zo vlak mogelijk profiel. Want de buitenwaartse hoek van de giek is - behalve op heel krappe ruimschootse koersen - al zo groot, dat zelfs de trek van de schoot via de helemaal naar lij geschoven loopwagen de giek wel heel goed naar binnen houdt, maar niet meer naar onderen trekt. De giekneerhouder speelt in dit geval dus een belangrijke rol. De juiste *zeiltechniek* geeft op snelle ruimschootse koersen niet alleen de hoogste snelheden en het meeste genoegen, maar is ook het moeilijkste

Op een snel gevaren halvewinds rak moet de mast over zijn hele lengte licht naar voren doorbuigen (op krappe koersen meer dan op ruime koersen); maar in dwarsscheepse richting moet hij zo stijf mogelijk blijven (foto links).

te leren, vooral als de spinnaker wordt gehesen. De bemanning moet nu heel precies aanvoelen, wanneer de boot zijn beste trimpositie en de meest effectieve planeerhoek heeft, want dan alleen is de maximale snelheid eruit te halen. Door voortdurende gewichtstrim moet de gunstigste ligging van het zwaartepunt van de boot worden gevonden, waarbij de stuurman door nauwkeurig werken met de grootschoot de inspanning van de trapezeman om de boot rechtop te houden ondersteunt. Hierbij is het belangrijk, dat het opvieren of aanhalen van grootschoot en fokkeschoot zo precies mogelijk gelijktijdig gebeurt. En dat is er weer in hoge mate van afhankelijk, hoe goed de stuurman en fokkemaat op elkaar zijn ingespeeld. Om onnodig meeslepen van dode ballast door buiswater te voorkomen, moeten bij boten zonder open spiegel of dubbele bodem de zelflozers worden opengezet. Een snel gezeilde ruimschootse koers bestaat - vooral bij vlagerige wind - min of meer uit een voortdurend afvallen en oploeven. Afvallen doet men telkens, als een vlaag invalt. De stuurman viert natuurlijk gelijktijdig de grootschoot, terwijl de fokkemaat in de trapeze de spinnaker zo ver mogelijk buiten het storingsgebied van de fok naar loef haalt, zodat hij zijn maximale voortstuwende kracht levert. De fok blijft onder deze omstandigheden in principe staan, waarbij men de schoot zo vast zet, dat hij voor de gemiddelde windrichting de goede invalshoek heeft, zodat de fokkemaat zich op de spinnaker kan concentreren.

De neerhouder moet de spinnakerboom daarbij fixeren onder een hoek, waarbij het loeflijk gespannen staat maar de spin-

De 505 op de foto rechts boven wordt al zo krap aan de wind gevaren, dat de spinnaker geen voortstuwing meer levert maar de boot alleen op een oor drukt. De boot rechtsonder stuurt dezelfde koers zónder spinnaker en

loopt er veel beter doorheen. De foto op de volgende twee pagina's toont eveneens een 505, waarop de bemanning echter verder naar achteren zou moeten gaan zitten om de boeg beter uit het water te laten komen. Het groot- zeil wordt door de stijf doorgezette giekneer- houder vlak gehouden en werkt hierdoor zo effectief mogelijk. De spinnakerboom zou echter niet tegen de fok moeten drukken.

naker zoveel bolling geeft, als hij voor zijn meest effectieve stand nodig heeft. Meestal wordt de boom dus een paar graden uit de horizontale stand omhoog gezet. Een heel goede fokkemaat zal ook bij harde wind steeds proberen om vanuit de trapeze niet alleen het inzakken van de spinnaker te voorkomen, maar ook om hem zo ver mogelijk van de wervelingen van de fok vandaan te houden; daartoe viert hij de lijschoot steeds zo ver op, dat het loeflijk bijna omklapt.

Dat gaat natuurlijk het beste, als hij ook de loefschoot in de hand houdt; want dan kan hij het ideale compromis vinden tussen het opvieren van de lijschoot en het strakker aanhalen van de loefschoot. Dat alles is echter zo inspannend en vereist een dergelijke conditie, dat een gemiddeld getrainde zeiler het nauwelijks aan kan. Daarom kan hij, als de wind niet al te vlagerig en veranderlijk is, de loefschoot meestal beleggen; daarbij moet de spinnakerboom dan zo worden vastgezet dat hij de spinnaker - afgestemd op de te varen koers - er zo goed mogelijk aan laat trekken. In elk geval moet op boten met een betrekkelijk grote genua de giek ook op krappe ruimschootse koersen in ieder geval nog een handbreedte van het voorstag verwijderd zijn. Zo gauw een vlaag invalt, wordt dus bliksemsnel afgevallen, waarbij stuurman en fokkemaat de boot door goed overhangen helemaal rechtop proberen te houden. Daardoor wordt de vlaag niet

Hier heeft de stuurman niet snel genoeg op de invallende vlaag gereageerd. Daardoor is de boot uit het roer gelopen, sterk gaan overhellen en de fokkemaat heeft uit louter paniek de fokkeschoot uit de hand laten schieten. Houdt de vlaag nu ineens op, dan bestaat er een acuut gevaar voor omslaan naar loef als de fokkemaat niet rap genoeg in de boot komt. Overigens is het gevaarlijk om blootsvoets met de trapeze te werken, want dan kan men gemakkelijk voetletsel oplopen.

alleen beter opgevangen, maar ook effectiever gebruikt; want men vaart dan langer in dezelfde richting met de vlaag mee. Zo lang de boot nu in de vlaag helemaal planeert, houdt men deze lagere koers aan. Valt de vlaag weg, dan worden grootzeil en spinnaker weer strakker aangehaald en de stuurman loeft een beetje op, want nu is men gelukkig niet zoals bij het opkruisen aan een bepaalde koers gebonden. Door dit beetje oploeven tot de normale koers of zelfs iets hoger, kan men optimaal profiteren van het planeren; want dan wordt de eerst turbulente luchtstroming langs de zeilen weer een laminaire luchtstroom en die levert, als de bemanning de boot weer goed weet te hanteren, de grootste voortstuwende kracht. Voor dit spel is natuurlijk veel feeling nodig; wie dat in zijn vingertoppen heeft zal tijdens wedstrijden zelfs op deze koersen, waarop alle boten praktisch in dezelfde richting zeilen, er heel wat uit kunnen halen. In ieder geval is hierbij de beste planeertechniek doorslaggevend. Daarbij komt natuurlijk ook nog het snelle reageren op invallende vlagen; want als de stuurman dan niet bliksemsnel afvalt, wordt de boot op zijn kant gedrukt, gaat verder overhellen en wordt zo sterk loefgierig, dat men eerst alle schoten moet laten vieren voordat men kan afvallen. Wordt zonder spinnaker gezeild (windkracht 6 à 7 is meestal ook voor geroutineerde bemanningen de grens), dan verloopt het spel op dezelfde wijze, maar nu

Op deze foto heeft de stuurman door bliksemsnel afvallen de vlaag goed opgevangen en nu loopt hij met verhoogde snelheid in de richting van de vlaag mee. Door het lichaamsgewicht naar achteren te verplaatsen is het voorschip ontlast. Het grootzeil zou echter vlakker kunnen staan, wat door een goed doorgezette neerhouder bereikt kan worden.

87

alleen met grootzeil en fok; daarbij gaat het er weer om de zeilen zo synchroon mogelijk te vieren en aan te halen.

Nogmaals samengevat geldt voor het varen op snel gezeilde ruimschootse koersen het volgende. De boot moet bij een optimale invalshoek van de wind onder alle omstandigheden zo rechtop mogelijk worden gezeild. Bij invallende, harde vlagen, waarbij dat alleen mogelijk zou zijn door verkleining van het zeil-oppervlak - door zo ver als nodig de schoten te vieren van grootzeil en fok en eventueel van de spinnaker - wordt in plaats daarvan afgevallen. Weliswaar viert men daarbij ook de schoten op, maar het zeil blijft in dezelfde positie ten opzichte van de wind en het effectief werkende oppervlak verandert niet, zodat de verhoogde winddruk helemaal aan de snelheid ten goede komt. De te grote hellende kracht, die de boot normaal op zijn kant zou drukken, wordt door het afvallen in een meer naar voren gerichte druk omgezet; en hoe meer een boot zijn neus van de wind afdraait, des te meer winddruk kan hij hebben. Want naar voren kan een boot, zoals bekend, vrijwel niet overhellen, maar alleen sneller worden. Gelijktijdig met het afnemen van de vlaag zal men dan weer hoger aan de wind gaan zeilen, om uit de turbulente toestand te komen en weer de voortstuwende kracht van de laminaire luchtstroming te krijgen. Want die levert dan, wanneer men de winddruk weer helemaal met het overhangen in evenwicht kan houden, de grootste snelheid.

Deze boot loopt bij harde wind met maximale snelheid. De bemanning zit ver naar achteren en stuurt een heel ruime koers, waarop de boot de meeste wind kan verdragen.

Trim en techniek bij achterlijke wind

Net als bij halve wind en hoger, dienen ook bij achterlijke wind de hele uitrusting en alle inspanningen rechtstreeks voor verhoging van de snelheid. Concessies aan andere factoren - zoals bij het opkruisen ten gunste van de hoogte het geval kan zijn - hoeft men niet te doen. Integendeel, wij hebben hier een omgekeerde verhouding: wij varen een langere weg om er sneller te zijn. Want precies plat

Deze spinnaker staat goed vrij en wordt niet beïnvloed door het storingsgebied van het grootzeil. De loefschoot werd ver genoeg naar loef aangehaald en de lijschoot is zo ver mogelijk gevierd. Zo levert de spinnaker de meest effectieve werking.

voor de wind wordt op zuiver voor-de-windse rakken nauwelijks meer gezeild. Daarvoor zorgen in de eerste plaats de modern gesneden spinnakers, die hun maximale voortstuwende kracht pas bij een laminaire luchtstroming leveren. Daarbij komt, dat een helemaal opgevierd grootzeil - zoals op deze koers nodig is - nooit precies een rechte hoek met de windrichting kan maken. Want op z'n laatst bij een hoek van ca. 80° komt de giek al tegen het iets naar achteren staande want. En niet in de laatste plaats trekt ook de fok nog beter mee, als de wind schuin van achteren inkomt. Al deze factoren samen zijn er de oorzaak van dat men tegenwoordig met moderne boten ook zuiver voor-de-windse rakken doorgaans onder een hoek van 10 à 15° met de windrichting zeilt. Als de directe koers nog de moeite waard is, zal dat alleen zijn wanneer er echt geplaneerd kan worden. Natuurlijk wordt door deze manier van voor-de-wind zeilen ook de te zeilen afstand een beetje groter en er zal minstens een keer gegijpt moeten worden; maar in vergelijking met de enorme snelheidstoename zijn deze nadelen tamelijk gering.

Zwakke achterlijke wind

Voor de *boottrim* geldt weer: reductie van het natte oppervlak door verplaatsing van het lichaamsgewicht naar voren en een kleine helling. Daartegenover hebben wij nu geen lateraaloppervlak nodig en daarom wordt het zwaard bijna helemaal opgehaald. Wij laten slechts ca. 10 cm uitsteken voor een betere koersstabiliteit. Het roerblad wordt nu onder een hoek van 60 à 70° gezet.

Voor de juiste *tuigtrim* moet de mast recht blijven, wat hij al uit zichzelf doet als men hem niet tot buigen dwingt. Het grootzeil wordt - zoals overigens op alle koersen bij zwakke en matige wind - zo hoog mogelijk gehesen; de tophoek komt dus precies tot de bovenste meetband. Want zoals bekend is de windsnelheid bij de masttop groter dan direct boven het wateroppervlak. Het leioog van de fok blijft - als men hem liever niet oprolt - in in het verlengde van de middennaad; de loopwagen wordt op de overloop hele-

maal naar lij geschoven. Voor- en onderlijk van het grootzeil en het voorlijk van de fok geeft men zo veel ruimte, tot de zeilen hun maximale bolling bereiken.

Het is proefondervindelijk bewezen, dat een licht voorover getrimde mast een boot voor-de-wind sneller doet zeilen. Op moderne wedstrijdboten zoals bijvoorbeeld de FD lopen daarom de wanten steeds meer door het dek heen naar liertjes of trommels, zodat ze tijdens het zeilen kunnen worden opgevierd. Het effect: het hele tuig komt door de verlengde wanten

Hier is het bijna bladstil en de bemanningen hebben hun boten sterk naar voren en naar lij getrimd. In dit geval heeft de helling nog een extra functie: hij helpt mee om het zeil voldoende bolling te geven.

voorover te staan. Wie deze inrichting niet heeft, zal natuurlijk proberen de mast tenminste helemaal rechtop te trimmen en valling van de mast naar achter te voorkomen.

Wat de *zeiltechniek* betreft geldt ook nu weer: rust in de boot, kalm en gevoelig sturen en goed de wind in de gaten houden. De giek wordt zover opgevierd, dat hij net zachtjes tegen het want aan lij aankomt. De fok daarentegen kan men het beste wegrollen of bij elkaar binden; want bij deze zwakke wind trekt hij nauwelijks mee, maar heeft wel een ongunstige invloed op de luchtstroming langs de spinnaker. Bovendien kan de fokkemaat zich dan bij het gijpen helemaal erop concentreren dat de spinnaker niet inklapt. Terwijl de stuurman op het lijboord zit, kan de fokkemaat het beste naar het voordek gaan en met zijn 'loefhand'

Op Vaurien G 23397 werd het voorlijk van het grootzeil extreem ver opgevierd; vandaar de schuin verlopende plooien. Zolang de boot vrijwel recht voor de wind vaart, is dat ook niet nadelig. Maar zodra de boot hoger gaat varen en er langs het zeil een laminaire luchtstroming ontstaat, is de stand van het grootzeil zoals bij G 23414 veel effectiever. De FD helemaal boven zeilt zuiver en met correcte gewichtstrim vrijwel plat voor de wind.

rechtstreeks de spinnakerboom hanteren, terwijl hij in zijn andere hand de lijschoot houdt. Zo kan hij dit zeil bij zeer zwakke en onregelmatige wind veel gevoeliger en precieser bedienen. Het loeflijk moet altijd losjes de bolling van de spinnaker volgen en mag in geen geval te strak worden aangetrokken.

Voor de fokkemaat is het ook nu weer de kunst om de meest effectieve verhouding te vinden tussen ver opvieren van de lijschoot en strakker doorzetten van de loefschoot. Het een gaat daarbij steeds ten koste van het ander. Wordt eerst de lijschoot opgevierd, dan kan de spinnaker heerlijk omhoog komen en hij staat dan min of meer dwarsuit, tamelijk ver van het grootzeil af, maar nog steeds in het turbulentiegebied daarvan. Wordt de spinnaker daarentegen met de boom verder naar loef uit het turbulentiegebied van het grootzeil gehaald, dan staat hij veel vrijer; maar hij kan niet zo goed omhoog komen, want het lijlijk moet dan meteen strakker worden aangehaald. In het algemeen blijkt een compromis tussen deze beide factoren het beste te voldoen.

Het gijpen gaat meestal als volgt. Beide spinnakerschoten worden belegd; terwijl de stuurman door licht roer geven steeds verder afvalt en het grootzeil naar de andere kant trekt, haakt de fokkemaat de spinnakerboom uit de mast en in de nieuwe loefschoothoek. En het andere eind van de spinnakerboom, dat eerst in de loefschoothoek was gepikt, wordt nu in het mastbeslag gezet. Direct daarna trekt de stuurman de nieuwe lijschoot uit de klem en door hem voldoende aan te halen voorkomt hij dat het nieuwe loeflijk inzakt. Als de spinnakerboom is ingepikt, geeft hij de lijschoot weer over aan

Gijpen zonder invallen van de spinnaker lukt alleen, als de stuurman tijdens het overbrengen van de spinnakerboom aan de andere kant de schoten overneemt. Hij kan dan direct met de lijschoot de nodige correcties uitvoeren, om invallen van de spinnaker bij het overbrengen van de boom te voorkomen.

de fokkemaat.

Overigens blijken bij dit weer vrij dunne en dus lichte spinnakerschoten het beste te voldoen. Dat tijdig voor het veranderen van koers en het neerhalen van de spinnaker de fok weer uitgerold moet zijn, spreekt wel vanzelf.

Matige achterlijke wind

Bij de *boottrim* vervalt nu de heel lichte helling, zodat de boot zo rechtop mogelijk zeilt. Het gewicht van de bemanning moet echter nog zo ver naar voren komen, dat het water glad onder de spiegel vandaan komt. Het zwaard wordt ca. 15 cm gevierd, terwijl het roerblad daarentegen onder een hoek van 45° kan worden gezet. Bij de *tuigtrim* gaat nu de mast - door de strak gezette giekneerhouder - over zijn hele lengte licht buigen. De neerhouder is nodig om het opwippen van de giek en daarmee het te ver uitwaaien van het bovenste deel van het zeil te voorkomen. Voor- en onderlijk van het grootzeil en het voorlijk van de fok worden ook hier weer vrij los gevoerd, waarbij langs het voorlijk van het grootzeil zelfs wat dwarsplooitjes kunnen optreden. Het leioog van de fok blijft in het verlengde van de middennaad, de loopwagen op de overloop helemaal aan lij.

De *zeiltechniek* geeft onder deze omstandigheden eigenlijk de minste problemen om - bijvoorbeeld in wedstrijden - een behoorlijke voorsprong te behalen. De techniek is betrekkelijk ongecompliceerd, zodat ook minder geroutineerden snel de nodige bekwaamheid kunnen verkrijgen. In dit geval zijn het dan ook meer de fijne kneepjes, die eventueel voor enkele meters winst zorgen. Bijvoorbeeld bij het

zetten van de spinnaker. Dat is bij boten met een spinnakertrechter vrij eenvoudig, bij boten zonder deze inrichting is het daarentegen wat gecompliceerder.

Men moet in de eerste plaats erop letten dat de spinnaker zoveel mogelijk aan lij van de fok wordt gehesen. De fok trekt onder deze omstandigheden al heel goed mee en moet daarom bij blijven staan. Want dan is het voor de fokkemaat erg eenvoudig om de naar lij uitwaaiende spinnaker binnen enkele seconden mee te laten trekken door de loefschoten aan te halen en tegelijkertijd de spinnakerboom in de loefschoothoek te pikken. Er zijn dan geen knelpunten of kansen op in elkaar draaien, omdat de spinnaker bij het hijsen vrij in lij van de andere zeilen kan uitwaaien.

Wordt hij echter aan loef gehesen, dan bestaat het gevaar dat de fokkemaat de lijschoothoek niet tijdig door trekken aan

De boottrim van deze Finnjol is perfect. Hij zeilt rechtop en zonder druk op het roer. De giek gaat echter wat te veel omhoog, waardoor het geprojecteerde oppervlak van het

zeil kleiner wordt. Maar op het profiel van het zeil valt, net als op de boottrim, niets aan te merken.

de lijschoot naar de lijzijde van de fok kan brengen en de spinnaker al tegen de loefzijde van de fok wordt geblazen. Het deel, dat niet tijdig naar lij kon worden gehaald, wordt dan in de bolling van de fok gedrukt; daardoor is het nog moeilijker naar de andere kant te krijgen, en dan draait vaak de hele zaak in elkaar. Als het desondanks niet anders kan - en bij wedstrijdzeilen heeft men soms geen keus - dan moet de fokkemaat bij het zetten van de spinnaker aan loef van de fok maar op één ding letten: hij moet de spinnaker - meteen terwijl de stuurman hem hijst - door hard aan de lijschoot te trekken om het voorstag heen naar lij halen, en wel voordat hij wind vangt. Daarentegen is het bij het strijken van de spinnaker in ieder geval beter, om hem aan de vrije loefzijde binnen te halen.

Bij matige wind zal men nu de spinnakerboom in ieder geval met een ingehaakte neerhouder in de gewenste stand vastzetten. Ook de loefschoot kan worden belegd, als de wind tenminste niet te onregelmatig is. De fokkemaat die ongeveer ter hoogte van het want op het loefboord zit, hoeft dus alleen de lijschoot te hanteren; die probeert hij steeds zó ver op te vieren, dat het loeflijk bijna gaat omklappen. Ook hier geldt de regel: de spinnaker moet zo ver mogelijk uit het turbulentiegebied van de andere zeilen worden gehaald, en dat loopt weer uit op een zo goed mogelijk compromis tussen een zo ver mogelijk opgevierde lijschoot en een zo ver mogelijk aangehaalde loefschoot.

De spinnaker moet al tijdens het hijsen openwaaien en meetrekken. Dat lukt echter alleen, wanneer de fokkemaat al met de ene hand de lijschoot bedient en met de andere hand de reeds om de loefschoot gehaakte spinnakerboom provisorisch hanteert. Hier gaat dat nog niet zo best, want de spinnakerschoten hangen nog los en slepen door het water. Zo is er een grote kans dat zij ergens in verward raken.

De stuurman viert het grootzeil zo ver op, tot de giek heel licht tegen het want komt; de fok wordt daarentegen (meestal door de stuurman) wat strakker in de klem gezet dan voor de invalshoek van de wind nodig is. De boot zeilt, zoals we reeds schreven, niet precies recht voor de wind maar zo'n 5 à 10° naar loef.

Harde achterlijke wind

Bij de *boottrim* gaat het er weer om, gunstige planeermogelijkheden te creëren. Dat wil zeggen, dat de bemanning de boot weer zo goed mogelijk rechtop probeert te houden, en het lichaamsgewicht zo ver naar achteren verplaatst tot de boeg goed vrij van het water komt. Er is dan namelijk geen gevaar meer dat de spiegel gaat zuigen, want bij goed ontworpen boten moet het water onder deze omstandigheden glad onder de spiegel vandaan komen. Het zwaard moet minstens voor ⅓ deel gevierd worden om het slingeren tegen te gaan en de boot goed bestuurbaar te houden. Het roerblad laten we helemaal zakken tot een hoek van 90°.

De algemene regel voor het spinnakeren bij harde wind luidt: een dicht bij de boot gehaalde spinnaker staat rustiger, maar trekt minder goed. Laat men hem daarentegen 'stijgen', dan trekt hij weliswaar beter, maar staat onrustiger.

Met de harde wind achter is de *tuigtrim* vooral erop gericht, om het grootzeil zo vlak en zo rustig mogelijk te houden. Anders raakt de boot in de gevreesde slingerbeweging; die wordt veroorzaakt doordat het zeil naar boven veel verder uitwaait dan onderaan waardoor de wind afwisselend naar loef en naar lij wegstroomt. Daarom wordt de giekneerhouder zo strak mogelijk doorgezet en men laat de loopwagen helemaal naar lij gaan. Het onderlijk wordt tamelijk strak, het voorlijk daarentegen minder strak doorgezet, om de mast wat te ontlasten. Kan er volledig worden geplaneerd, dan kan de fok het beste worden weggenomen, wat echter alleen bij boten met een rolfok mogelijk is. Anders zet men de schoot net zo in de klem vast als bij matige wind.

De juiste *zeiltechniek* onder deze omstandigheden vereist juist voor de stuurman een uitgesproken evenwichtsgevoel. Want hier gaat het er voornamelijk om van meet af aan de neiging tot hevig slingeren tegen te werken door heel precies te sturen in een ritme dat net het tegengestelde is van de schommelbeweging. Als de boot echter naar loef overhelt, moet het grootzeil iets strakker worden aangehaald, om zo de wind te dwingen uitsluitend naar loef weg te stromen. Normaal zal men het grootzeil zo ver opvieren, dat de giek net niet tegen het lijwant komt.

Ook bij harde wind zal de stuurman uit voorzorg aan lij en de fokkemaat aan loef zitten, nu echter wat meer naar achteren om de boot beter te laten planeren. Bij harde wind is het nog meer dan bij matige wind aan te bevelen de spinnaker aan lij van de fok, respectieve-

*Hier staat ongeveer windkracht 5 en de zeilen
staan en trekken goed, inclusief de fok. Voor
een geroutineerde bemanning is het risico van
omslaan nog maar klein en daarom kan men
de spinnaker gerust laten 'stijgen'.*

lijk van het voorstag, te hijsen, omdat het gevaar van in elkaar draaien dan bijna geheel uitgeschakeld wordt (boten met een spinnakertrechter hebben het hierbij natuurlijk het gemakkelijkste).

Bij zeer harde wind verhoogt een naar achteren verplaatst gewichtszwaartepunt natuurlijk ook de vormstabiliteit van de romp, omdat de waterlijnen achter breder worden. Daarom moet bij het zetten van de spinnaker, zolang de fokkemaat bezig is met het inpikken van de boom en de neerhouder, de lijschoot gevierd blijven, zodat de spinnaker nog niet kan trekken. Pas als de fokkemaat daarmee klaar is en naar achteren schuift, laat men de spinnaker door het aantrekken van de lijschoot wind vangen zodat hij bij staat. Men moet er daarbij wel op letten dat de heen en weer slaande lijschoot tijdens het hijsen van de spinnaker niet om het eind van de giek draait - daarom moet men hem niet te veel ruimte geven.

Het strijken van de spinnaker verloopt weer overeenkomstig het zetten. De lijschoot wordt gevierd zodat de spinnaker gaat klapperen (pas weer op het eind van de giek!) en nu pas gaat de fokkemaat naar voren, haakt spinnakerboom en neerhouder uit en haalt het zeil binnen, waarbij de fok, voorzover hij was opgerold, eerst uitgerold moet worden.

Bij harde wind zal de fokkemaat de spinnaker minder omhoog laten bollen, maar hem dichter bij de boot houden. Dan staat hij rustiger en de boot zal niet zo gauw heen en weer gaan slingeren. Zou de stuurman op een gegeven moment niet in staat zijn om de neiging tot slingeren te compenseren door het werken met de grootschoot en het verplaatsen van zijn gewicht, dan moet de fokkemaat meehelpen. En wel door bij het hellen naar loef de lijschoot van de spinnaker en bij helling naar lij de loefschoot aan te trekken, wat er op neerkomt dat hij de loefschoot wel kan beleggen, maar hem steeds binnen handbereik moet hebben.

Zeilt men op ruim water, dan kan de boot vanwege de hoge golven niet planeren, maar vaak wel surfen. De techniek is dan in wezen dezelfde als bij het surfen met een surfboard. Men probeert dus zolang mogelijk op de hellende voorzijde van een golf mee te lopen. Daarbij is het zelfs mogelijk dat de boot sneller is dan de wind, waarbij dan de giek midscheeps komt. Dat gebeurt vooral wanneer er nog een flinke deining loopt, maar de wind al aan het afnemen is. Om tot surfen te komen, haalt de bemanning even snel de schoten van grootzeil en spinnaker aan en verplaatst het lichaamsgewicht vlug even naar voren, en wel op het moment waarop de van achteren aanrollende golf de spiegel optilt. Surft de boot nu op de voorzijde van de golf, dan gaat de bemanning wat naar achteren zitten, zodat de boeg zich niet in het golfdal kan boren. Nu probeert de stuurman deze toestand zo lang mogelijk te handhaven doordat hij door kleine beetjes oploeven of afvallen de juiste snelheid behoudt.

Tijdens wedstrijden is men natuurlijk ook genoodzaakt bij deze harde wind te gijpen; dat is ongetwijfeld de moeilijkste manoeuvre. Omslaan gebeurt dan ook het meeste doordat men niet helemaal door heeft wanneer de omstandigheden voor een gijp het gunstigst zijn en waarop men dan moet letten.

Het is natuurlijk 't eenvoudigst om de giek

te laten overkomen als de wind net een ogenblikje wat afneemt. Bij wedstrijden is men echter genoodzaakt bij een boei te gijpen; en als de wind dan net wat afneemt, dan heeft men louter geluk.

Grondregel is *dat men gijpt op het moment waarop de boot op topsnelheid zeilt,* maar niet terwijl hij net meer vaart krijgt. Want op een moment waarop de boot net meer vaart krijgt, wordt het zeil door de winddruk bijzonder zwaar belast; daarom is het dan erg moeilijk om de giek te laten overkomen. Zeilt de boot echter op topsnelheid, dan is door het zeer geringe verschil tussen windsnelheid en vaarsnelheid de druk op het zeil veel kleiner. Het ergste is om net te gijpen wanneer de boot door een golf

wordt afgeremd. Toch zien we dat vaak. Men gaat daarbij van de overweging uit, dat de snelheid dan het kleinste is; maar men vergeet daarbij, dat daardoor de winddruk op het zeil het grootste is. Natuurlijk hoeft zo'n fout niet altijd met omslaan gestraft te worden, vooral niet wanneer het zwaard minstens voor de helft is opgehaald. Dan struikelt de boot niet 'over zijn eigen benen' en kan wellicht nog tijdig naar opzij uitwijken.

Dit is nu typisch voor-de-wind omslaan tengevolge van sterk slingeren. Het zeil waait van boven dan ook veel verder uit dan onderaan en vormt a.h.w. een zak, waar de wind af- *wisselend naar loef en naar lij uitstroomt en zo het slingeren veroorzaakt. Hoe vlakker het zeil voor-de-wind staat, des te rustiger loopt de boot.*

Omslaan en veiligheidsvoorschriften

Oorzaken van en maatregelen tegen het omslaan.

Als wij de verschillende manieren van omslaan en de oorzaken ervan wat meer in het algemeen beschouwen, kunnen wij duidelijk bepaalde situaties herkennen; daarbij gaan we ervan uit, dat tot circa windkracht 5 de spinnaker wordt gevoerd. Zo komt omslaan naar loef uitgesproken het meeste voor op voor-de-windse koersen en bij het opkruisen; terwijl men op ruimschootse koersen meestal naar lij omgaat. In aantallen uitgedrukt is het aantal keren omslaan bij het opkruisen kleiner dan het aantal keren dat men omslaat bij ruime wind en voor-de-wind. Dat komt alleen al door het feit dat overstag gaan veel minder riskant is dan gijpen, want omslaan tijdens manoeuvres vormt een belangrijk aandeel van het totaal. Alleen op sommige binnenwateren, zoals op de Alpenmeren met hun vaak sterk krimpende en vlagerige winden, gaat men ook vaker tijdens het opkruisen ondersteboven en wel bijna uitsluitend naar loef. Niet alleen ziet men hier de vlagen slecht aankomen over het water, maar ze vallen dikwijls ook zo plotseling in dat zelfs een geroutineerde stuurman niet snel genoeg kan afvallen.
Omslaan naar lij kan meestal - in volgorde van veelvuldigheid - tot de volgende situaties worden teruggebracht:

spinnakeren op ruimschootse koersen (de boot loopt bij erg harde vlagen uit het roer);

ondeskundig gijpen (er wordt al weer opgeloefd voordat het grootzeil helemaal is opgevierd);

te hoog aan de wind 'knijpen' bij het opkruisen in harde vlagen (waardoor de boot te veel vaart en daarmee ook stabiliteit verliest).

De meest voorkomende oorzaken voor het omslaan naar loef zijn daarentegen:

het uit het roer lopen van de boot met de spinnaker bij achterlijke wind (bij hevig slingeren glijdt de romp naar lij weg);

te langzaam reageren van de stuurman als er tijdens het opkruisen plotseling een vlaag invalt.

Bij een plotseling opkomende onweersbui met stormachtige wind zijn er drie mogelijkheden:
óf men strijkt snel de zeilen en gooit een drijfanker uit (dat men echter meestal niet aan boord heeft);
óf men loopt plat voor-de-wind alleen op de fok weg;
óf - wat echter alleen voor een geroutineerde bemanning is aan te bevelen - men planeert ruimschoots in volle vaart naar de dichtstbijzijnde oever.
Hierbij is het belangrijk dat de boot op topsnelheid zeilt, want in dit geval wordt omslaan uitsluitend voorkomen doordat bij toenemende snelheid tevens de dynamische stabiliteit groter wordt. Zo gauw de boot uit plané komt, slaat hij om, ongeacht of alle zeilen nu gevierd zijn of niet - in ieder geval bij een echte onweersstorm. Deze laatste mogelijkheid is eigenlijk alleen op boten met een trapeze te realiseren, want alleen daarmee bereikt men de vereiste snelheid.
Men moet zich aanwennen om bij onbetrouwbaar weer altijd met de mogelijkheid van omslaan rekening te houden. Dat wil zeggen: orde in de boot en zwem-

vesten aantrekken die goed moeten zitten zonder de bewegingsvrijheid te beperken. Liefst moeten ze ook van een kraag zijn voorzien. Anker, een sleeplijn en een hoosvat hebben al in veel kritieke situaties goede diensten bewezen. Een eind touw om de omgeslagen boot weer op te richten, waarvoor een landvast kan worden gebruikt, is ook al heel vaak nuttig gebleken. Omdat het ook bij de ondersteboven gedraaide boot nog snel en gemakkelijk bereikbaar moet zijn, zal men het touw op een plaats vastmaken waar het ook in dit geval nog goed te bereiken is, dus meestal ergens aan het voorstevenbeslag. Om bij het omslaan automatisch en juist te kunnen reageren, moet men eerst enige keren bij slecht

weer oefenen. Niet alleen weet men dan ongeveer hoe de boot zich daarbij gedraagt, maar men heeft tevens de gelegenheid om de psychische shock, die men bijna onvermijdelijk bij de eerste keer omslaan krijgt, geleidelijk op te vangen. Want alleen de bemanning die op het moment van omslaan direct de juiste maatregelen neemt, zal de gevolgen tot een minimum kunnen beperken.

Gedrag na ondersteboven draaien van de boot.

Voelt de bemanning dat het onvermijdelijk fout gaat, dan moet zij zich direct erop

Dat wordt het klassieke omslaan naar lij op een halvewindse koers, waarbij de bemanning nog niet over veel routine blijkt te beschikken. De stuurman is bij het invallen van de vlaag niet snel genoeg afgevallen en daardoor is zijn FD uit het roer gelopen. Nu helpt het tegen- *roer geven niet meer, want het roerblad hangt bijna helemaal in de lucht. In plaats van de lijschoot op te vieren drukt de fokkemaat zich krampachtig helemaal naar loef, maar bereikt daarmee niets.*

concentreren het ondersteboven draaien van de boot te voorkomen. Bij omslaan naar loef is dat overigens niet altijd mogelijk, want vaak wordt de bemanning daarbij uit de boot geslingerd. Zou er iemand onder het zeil komen, dan moet hij in principe naar achteren wegduiken om niet in het want terecht te komen. Onder het zeil boven water komen om lucht te happen is zinloos, omdat zich daar geen luchtbel kan vormen.

De meeste lichte open boten hebben tengevolge van hun lichte ontwerp al een sterke neiging om door te draaien. De luchtkasten in de zij hebben namelijk vaak te veel drijfvermogen, waardoor de boot erg hoog drijft en de mast veel schuiner omlaag in het water steekt dan bij een

En dit zou een werkelijk klassiek omslaan naar loef tot gevolg kunnen hebben. De boot was volledig in plané en nu houdt de vlaag ineens op. De fokkemaat hangt nog helemaal buitenboord in de trapeze. Komt er nu een nieuwe vlaag, die dan altijd voorlijker invalt, dan is het omslaan naar loef volkomen. De foto boven toont de ideale ligging van een omgeslagen drijvende boot, waarbij de neiging om door te draaien zo klein mogelijk is.

boot, die ongeveer tot de hartlijn onder de waterspiegel zakt - wat ideaal zou zijn. Bij een hoog op het water drijvende boot is het doordraaien zelfs een soort noodrem, want als de bemanning de boot niet tijdig te pakken krijgt, drijft hij door zijn grote windvang zo snel af, dat men hem zwemmend niet meer kan bereiken. Vanuit dit oogpunt zijn ongetwijfeld die boten het beste ontworpen die wel smalle gangboorden hebben maar geen lucht-

kasten in de zij. In plaats daarvan is de dubbele bodem tot de huid doorgetrokken (en het voorschip is natuurlijk ook hier met een schotje afgesloten). Bij omslaan zinkt de boot dan ongeveer tot het midden van de romp onder water; daardoor heeft hij dan nauwelijks de neiging door te draaien en hij kan niet zo snel wegdrijven ingeval de bemanning uit de boot is geslingerd (de meeste plakhouten FD's zijn overigens zo ge-

Bij omslaan naar lij gedragen de meeste zeilers zich zoals hier. Door het gewicht van de bemanning op de stootrand zullen zelfs de best ontworpen boten doordraaien.

Situatie nummer drie laat zien hoe de beide zeilers met de voeten tegen de onderste stootrand steunen en met zo ver mogelijk van de romp weggedrukt lichaam proberen de boot op te richten.

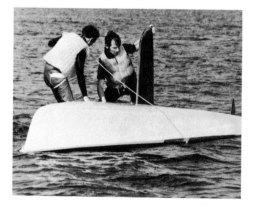

Tweede bedrijf: de boot is doorgedraaid en de bemanning heeft een lijntje opgevist en aan het want bevestigd. Dit hulpmiddel is vooral onontbeerlijk als het zwaard in de zwaardkast teruggegleden is.

De bemanning heeft de mast in horizontale positie boven water gekregen; omdat er hier verder niets geklaard hoeft te worden - zoals een spinnaker, die men eerst zou moeten strijken - kunnen zij de boot meteen helemaal oprichten.

Voor elkaar! De bemanning heeft de boot weer boven water. Men moet erop letten dat de boot altijd met de boeg tegen wind in of minstens - zoals hier - met de romp haaks op de wind (tegen wind in) wordt opgericht. Anders zou hij gevaar lopen meteen naar de andere kant om te slaan.

Dit is de goede manier om aan boord te klimmen. Nadat de eerste aan boord is en de boot in evenwicht kan houden, wordt ook nummer twee binnenboord gehaald. De schoten zijn natuurlijk helemaal opgevierd.

Een niet gestreken spinnaker maakt het oprichten veel moeilijker, omdat hij meestal veel water schept. Lukt het ondanks dat de boot op te richten, dan slaat hij vaak opnieuw om doordat hij nog veel te labiel op het water ligt.

bouwd). Omdat deze bouwwijze in polyester niet zo praktisch en wat moeilijker
is (en ook nog enige andere nadelen heeft,
b.v. dat het gangboord een vorm krijgt
waarop men niet zo goed kan overhangen)
proberen de goede ontwerpers vaak een
compromis te vinden; dat loopt meestal
uit op een dunne dubbele of half-dubbele
bodem en relatief smalle luchtkasten in
de zij.

Is de boot dus doorgedraaid, dan zal de
bemanning eerst het aan de voorsteven
bevestigde eind touw opvissen en aan de
wantputting aan lij vastmaken. Is het
midzwaard helemaal in de kast omhoog
geschoven, zoals bij achterlijke wind met
toch al grotendeels opgehaald zwaard
gemakkelijk kan gebeuren, dan biedt 't
touw zelfs de enige mogelijkheid om de
boot weer overeind te krijgen. De bemanning steunt nu met de voeten op de
tegenoverliggende stootrand en trekt aan
het touw, waarbij ze - om een zo groot
mogelijke hefboom te krijgen - hun lichaam zo ver mogelijk van de romp weg-
drukken. Kan men het zwaard nog te
pakken krijgen, dan is het touw vaak
helemaal niet nodig. Men krijgt de boot
dan ook overeind door hard aan de punt
van het zwaard te trekken en hem ritmisch op en neer te wippen. Daarbij
helpt trekken aan de grootschoot, zoals
in de praktijk ook vaak wordt gedaan, niet
veel bij het oprichten, omdat het zeil
dan onder water wordt aangehaald en
daardoor meer weerstand biedt. Een vol-
geschuimde mast werkt in ieder geval
goed mee.

Drijft de boot nu met de mast horizontaal
dan moet zo nodig - eerst het zwaard in
opgevierde positie worden vastgezet en
de boot moet zo worden gedraaid, dat

*Regel Nummer Eén voor het omslaan: direct
de stootrand van het gewicht van de bemanning ontlasten, om de neiging tot doordraaien
kleiner te maken. Maar wees voorzichtig met
het zwaard; bij grote belasting zou het kunnen breken!*

de mast óf naar lij wijst, óf dwars op de wind ligt met de boeg tegen wind in. Anders zal de boot na het oprichten snel naar de andere kant omslaan. Stond de spinnaker bij, dan moet deze nu worden geborgen, want met bijstaande spinnaker lukt het oprichten maar zelden. Groot-schoot en fokkeschoot moeten zover mogelijk worden opgevierd, zodat de zeilen geen water kunnen scheppen en na het omhoog komen vrij kunnen uit-waaien. Nu kan de boot door drukken op het zwaard of door trekken aan het touw helemaal worden opgericht. Wie er zeker van wil zijn dat hij bij het aan boord gaan niet per ongeluk opnieuw omslaat, zal pas over het gangboord in de boot klim-men wanneer de ander naar voren is gezwommen en de boeg op de wind houdt. Staat hij dan veilig in de boot en kan hij daardoor de goede ligging beïn-vloeden, dan wordt ook de tweede man binnenboord gehaald.

Hoe wordt ondersteboven draaien voorkomen?

In 80% van alle gevallen zou de boot hele-maal niet ondersteboven zijn gedraaid, als de bemanning maar had geweten wat zij moest doen. Vaak geeft ook een mis-verstand tussen stuurman en fokkemaat de doorslag. Het voornaamste waarvan stuurman en fokkemaat zich bij het om-slaan bewust moeten zijn is dat zij blik-semsnel zien wie van hen het snelste op het zwaard kan komen. De ander zal

zich, als hij niet eveneens direct op het zwaard kan komen (wat meestal niet lukt) in plaats daarvan aan lij in het water laten vallen en proberen om de mast omhoog te houden. Hoofdzaak is, dat het gewicht van de bemanning zo snel mogelijk van de boordrand afkomt, want daardoor wordt vaak het snelle doordraaien ver-oorzaakt. De boot ligt namelijk bijna nooit recht op zijn kant in het water maar de mast wijst dan al schuin omlaag. Het ge-wicht van de bemanning op de boord-rand werkt dan direct als een grote, om-laag gerichte kracht, zodat doordraaien het logische gevolg is.

Regel Nummer Een bij het omslaan luidt dan ook: direct van de boordrand af.

Terwijl de een dus door direct te drukken en wippen aan het zwaard de neiging om door te draaien tegengaat, zwemt de ander om de boot heen naar de kant van het zwaard en helpt nu mee de boot op te richten. Is de boot naar loef omgeslagen dan moet hij op zijn tocht om de boot heen eerst de boeg tegen de windrich-ting in trekken, want anders zou de boot na het oprichten meteen weer naar de andere kant omslaan. Ligt de boot op-de-wind, dan blijven er voor hem twee moge-lijkheden over:

óf hij zwemt naar het zwaard en helpt de ander, óf hij zwemt naar de masttop, wacht op een harde vlaag en duwt de masttop dan met een krachtige beenslag omhoog, zodat de wind onder het zeil kan slaan en op deze manier de pogingen van de op het zwaard drukkende man ondersteunt. Deze methode wordt ook veel gebruikt bij eenmanszwaardboten, zoals de Finnjol, omdat bij de gebruike-lijke zwaardoprichtmethode hierbij te veel water in de boot stroomt. Hierbij is

het belangrijk, dat men met één hand de landvast vasthoudt, want anders zou men een eenmanszwaardboot na het oprichten niet meer te pakken krijgen. Welke van deze beide manieren men bij een tweemanszwaardboot toepast, zal van verschillende omstandigheden en situaties afhangen. Effectief zijn ze over het algemeen allebei, en als het met de ene niet lukt, moet men de andere maar proberen. De manier van het dadelijk vrijmaken van de boordrand voorkomt echter niet alleen het doordraaien, maar zorgt er ook voor dat bij boten met smalle gangboorden en zonder dubbele bodem na het oprichten weinig water in de kuip staat. Anders moeten zulke boten direct daarna worden leeggezeild. Niet zelden staat er echter zoveel water in de kuip, dat de boot eerst wat moet worden leeggeschept; want de zelflozers werken doorgaans pas goed als de kuip nog maar voor eenderde gedeelte vol water staat. Anders krijgt men namelijk niet de snelheid die voor het lozen nodig is. Een (geborgd) hoosvat dat steeds meegenomen moet worden, mag bij boten zonder dubbele bodem dan ook nooit ontbreken.

Oprichten door de masttop omhoog te drukken is vooral voor eenmansboten aan te bevelen. Daartoe moet de boot echter met de boeg recht tegen wind in liggen, omdat de wind onder het zeil moet slaan.

Wat te doen na averij.

Af en toe gaat er bij het omslaan wel eens wat verloren of er breekt wat, zodat de boot weggesleept moet worden. Averij kan echter ook zonder omslaan optreden, hoewel bij de tegenwoordig gebruikelijke aluminium rondhouten breuk van mast of giek nauwelijks nog mogelijk zijn. Daartegenover komt echter niet zelden de hele tuigage omlaag, namelijk wanneer een want of stag of de bevestiging daarvan is gebroken. Het overboord gevallen, maar nog door allerlei draden met de boot verbonden tuig moet in zulke gevallen direct worden geborgen, om beschadigingen van de romp te voorkomen. De mast en de andere delen van het tuig moeten eerst zorgvuldig worden samengebonden, voordat men een sleeplijn kan overnemen. Het zwaard moet bij het slepen tot circa tweederde worden opgehaald. Veel averij kan worden voorkomen door vóór het wegzeilen de boot zorgvuldig op te tuigen en daarbij alle zwaar belaste onderdelen met hun betreffende bevestigingspunten zorgvuldig te controleren.

De foto op de volgende twee bladzijden laat zien wat er gebeurt, als de boot niet van voldoende drijfvermogen is voorzien. De bemanning heeft de boot wel weer opgericht, maar het is onmogelijk hem leeg te zeilen.

109

Inleiding tot het wedstrijdzeilen

De zwaardbootzeiler, in elk geval die met sportieve inslag, beoefent de zeilsport louter om het zeilen - en alleen al omdat met de meeste zwaardboten ook niet veel meer te doen valt dan te zeilen. Ze zijn niet erg geschikt voor een gezellige borrel en evenmin voor andere liefhebberijen, die het eigenlijke zeilen alleen maar als middel voor een ander doel beschouwen. Het is dan ook geen wonder, dat de zwaardbootzeiler het eerste bezwijkt voor het fascinerende van het wedstrijdzeilen; vooral omdat hij veelal op plaatsen zeilt of moet zeilen, waar toervaren zonder meer niet interessant is: namelijk op afgesloten plassen, die soms niet groter zijn dan een zandput. Wat geeft deze sport dan meer afwisseling

dan een wedstrijd? Omdat juist op zulke kleine plassen dikwijls een verbazingwekkende wedstrijdactiviteit wordt ontplooid, lijkt het slechts een kwestie van tijd totdat de wedstrijdbacil ook de tot nog toe niet ambitieuze zeiler te pakken krijgt. Alleen de zeilers die aan een gezin zijn gebonden, blijven misschien nog gespaard.

Voorwaarden

Voordat er een boot wordt gekocht moet men dan ook eerst een antwoord vinden op de vraag, of er met die boot die men in gedachten heeft, op de in aanmerking komende plassen wel wedstrijden worden

Als beginneling moet men niet direct in een gigantisch veld om een nationaal kampioenschap gaan zeilen. Het risico van een aanvaring of omslaan is hier erg groot, omdat de ene moeilijke situatie de andere veroorzaakt.

gezeild. Wanneer het echter te laat is en men moet vaststellen, dat in de wijde omtrek geen boten van hetzelfde type voorkomen, dan is nog niet alles verloren. Want er zijn nog enkele mogelijkheden om met verschillende boottypen tegen elkaar te kunnen wedstrijdzeilen. Voorwaarde is alleen dat tenminste een handvol wedstrijdenthousiastelingen met een boot en een - minstens provisorische - wedstrijdleiding wordt opgescharreld.

De populairste methode voor zulke wedstrijden is hier de zogenaamde yardstick; dat zijn in Engeland ontwikkelde vergelijkingstabellen. Omstreeks 1950 onderkende men daar namelijk de behoefte, om verschillende boottypen tegen elkaar te kunnen laten wedstrijdzeilen. De Portsmouth Harbour Racing and Sailing Association hield zich bijzonder met dit probleem bezig, hetgeen leidde tot de samenstelling van de beroemde Portsmouth Yardstick door S. Zillwood Milledge.

Sinds 1961 wordt deze Yarstick beheerd door de R.Y.A. Dit systeem heeft inmiddels zijn bruikbaarheid voldoende bewezen en wordt momenteel in meer dan 60 landen toegepast. Doordat er een vrijwel continue 'feed back' van gegevens vanuit de verenigingen naar de R.Y.A. is, blijft het geheel levend en up to date.

Ofschoon het bestaan van de Porthmouth Yardstick in Nederland wel bekend is, bleek dat er in ons land niet of nauwelijks mee werd gewerkt en toen men zich op het redactiebureau van het maandblad Watersport ging verdiepen in de reden van het negeren van de Yardstick in Nederland en men zich afvroeg of het propageren ervan wel zinvol zou kunnen zijn, bleek al spoedig dat van een groot aantal van de hier officieel erkende een-

heidsklassen geen enkel Yardstick-cijfer bekend was.

De conclusie was dat als die cijfers er niet waren, er allereerst voor moest worden gezorgd dat ze er kwamen - hetgeen uitmondde in de organisatie van de eerste Watersport Sail-in op 9 en 10 oktober 1971. Het belangrijkste resultaat van de Sail-In 1971 was de vaststelling van een Snelheidsfactor Watersport 'S.W.' voor een vijfentwintigtal eenheidsklassen van midzwaardboten. In 1972 werd een tweede Watersport Sail-In gehouden, waarbij van een zeventigtal zwaardboten, kielboten en catamarans gegevens over de S.W. werden verkregen. Het is de bedoeling om zo van steeds meer boottypen de S.W. te kunnen vaststellen.

Wat is nu die S.W.? Welnu, de S.W. tabel geeft antwoord op de vraag: 'Hoe lang zeilt een jacht over een willekeurige afstand?' Bijvoorbeeld een afstand die door een jacht met S.W. 89 wordt afgelegd in 89 minuten zal door een jacht met een S.W. van 105 in ongeveer 105 minuten worden afgelegd. Let wel: we spreken hier uitdrukkelijk van ongeveer, want de S.W. is een maatstaf maar beslist geen micrometer!

Met behulp van de S.W. tabellen kunnen westrijdcommissies handicapcijfers vaststellen, waardoor het mogelijk zal worden jachten uit verschillende klassen, jachten dus met uiteenlopende prestaties, in één wedstrijd tegen elkaar te laten uitkomen. Omdat de S.W. tabellen op grond van betrouwbare en gecontroleerde metingen werden vastgesteld is een voldoende graad van nauwkeurigheid gegarandeerd waardoor een 'faire' handicap mogelijk wordt. Halsbrekende rekentoeren worden bij dit soort wedstrijden beslist niet van u verlangd, het enige wat nodig is, is dat de gezeilde tijd per deelnemer zo betrouwbaar mogelijk wordt bepaald. De stap van de gezeilde tijd naar gecorrigeerde tijd kan zonder meer uit tabellen worden afgelezen.

Of men nu een min of meer geïmproviseerde wedstrijd zeilt met een S.W. of een normale wedstrijd tussen boten van dezelfde klasse - zij stellen als voornaamste eis aan de bemanning: een goede beheersing van de boot en een basiskennis van het wedstrijdregelement. En wie de mogelijkheid heeft om bij een ervaren wedstrijdzeiler eerst een tijdje als fokkemaat mee te varen, moet deze gelegenheid niet voorbij laten gaan. Het is nog steeds de beste leerschool die er is.

Voorbereiding voor een wedstrijd

Voor een eerste wedstrijd zijn er een massa zaken waarop men moet letten. Dat begint al bij het betalen van het inschrijfgeld en bij het tijdig doorlezen van het programma. Nieuwelingen doen er goed aan om de zeilvoorschriften met alle toelichtingen en verklaring van de vlaggeseinen evenals de baanschets (voor zover nodig) in een waterdichte plastic hoes te doen en deze op een goed zichtbare plaats vast te plakken. Dat voorkomt misverstanden bij signalen van de wedstrijdleiding.

Aan een naderende wedstrijd moet ook altijd een maaltijd voorafgaan die wel stevig, maar toch niet te zwaar mag zijn. Want de lichamelijke en geestelijke inspanning tijdens een wedstrijd eist evengoed de nodige calorieën als optredend

warmteverlies, vooral bij zwaar weer. Dat de boot op de wal zorgvuldig wordt opgetuigd, spreekt wel vanzelf. Alle sluitings worden goed vastgedraaid, de knopen gecontroleerd en bouten en splitpennen, die eventueel kunnen losgaan, worden met plakband omwikkeld. Bij onbestendig weer of harde wind moet de bemanning zich al vóór het wegzeilen van de wal goed voor de wedstrijd aankleden - en niet pas op weg naar de start. De kleding moet warm, waterdicht en passend zijn, zonder de bewegingsvrijheid te beperken. Zwemvesten worden bij harde wind al voor het wegzeilen aangetrokken, terwijl ze anders tenminste binnen handbereik moeten liggen. Bij onbetrouwbaar weer was de keuze van het juiste zeil tot nog toe vaak de beslissende factor voor overwinning of nederlaag. Tegenwoordig is het belang hiervan niet meer zo doorslaggevend vanwege de betere doekkwaliteit; zelfs topzeilers doen nu een heel seizoen of nog langer met een enkel stel zeilen, dat dan voor elk weertype aangepast wordt getrimd.

Op weg naar de start moet de bemanning zich helemaal aan de boot wijden, alle details nogmaals controleren en vóór alles orde op zaken stellen. Want als men in koortsachtige haast moet handelen of zelfs omslaat, dan is de wanorde de grootste vijand aan boord. Zeilt men voor-de-wind naar de start, dus door het gebied waarin na de start opgekruist moet worden (de wedstrijd begint meestal met een kruisrak) dan moet men ook meteen goed op de wind letten, zodat men er in het tactische plan rekening mee kan houden.

Even 'warmzeilen' voor de start is echt aan te bevelen. Maar dat moet achter elkaar doorgaan, zodat de spieren langzaam warm worden. Een atleet heeft bijvoorbeeld een 'warming up' van een half uur nodig, voor hij tot topprestaties komt. Tijdens het inzeilen zal men ook alle manoeuvres een keer uitvoeren, om zo te controleren of alles klaar voor gebruik is. Tegelijkertijd wordt de boot in de juiste trim gebracht. Dat lukt het beste als men met een bevriende tegenstander, waarvan men de snelheid kent, een kort proefrak tegen elkaar zeilt - zonder elkaar daarbij wederzijds af te dekken.

De start

'Een goed begin is het halve werk' zegt het bekende spreekwoord; en dat geldt eveneens voor een zeilwedstrijd. Daarom moet men ook aan de start de nodige aandacht schenken. Dat begint al met het goed inprenten van de betekenis van de betreffende vlaggen en de geluidssignalen en van het verloop van de denkbeeldige startlijn, die aan de ene kant wordt begrensd door starttoren of startschip en aan de andere kant door een gemerkte boei. Daarna wordt met de vinger op de stopwatch (het kan desnoods ook een gewoon horloge met secondewijzer zijn) het tijdsein afgewacht, het schot dat tien minuten voor de eerste start wordt afgevuurd, maar vaak samenvalt met het startschot van een eerder startende klasse.

Meteen daarna worden de eerste tactische posities bepaald, weliswaar nog niet bindend, want windschiftingen moeten ook in de laatste tien minuten nog worden ingecalculeerd. De eerste vraag

Korsar G 1679 is erin geslaagd een klassieke lijstart te maken. Hij is met een goede aanloop over de lijn geschoten, heeft niemand aan lij en ligt daarentegen zelf tegenover zijn concurrenten aan loef in de veilige lijpositie.

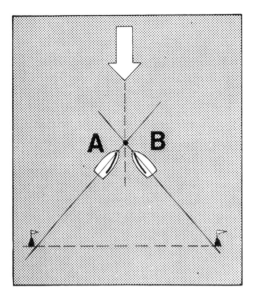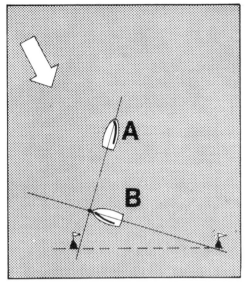

moet nu altijd zijn: waar en op welke plaats van de lijn moet ik starten? Daarbij is niet alleen de windrichting bepalend maar ook de ligging van de loefboei ten opzichte van de startlijn. Want de optimale startpositie op deze lijn wijzigt zich zolang windrichting en de plaats van de boei maar een beetje veranderen. Er zijn daarop ontelbare varianten mogelijk. In de praktijk spelen ze echter zelden een rol, behalve wanneer de loefton extreem aan bakboord of stuurboord van de startlijn ligt. Als kernpunt blijft de windrichting over, waarnaar we ons bij de keuze van de gunstigste startpositie moeten richten.

Als vuistregel geldt: er moet daar worden gestart, waar de wind vandaan komt. Valt hij drie of meer graden van bakboord in, dan kan alleen de bakboordzijde van de lijn de juiste plaats voor het starten zijn. Valt de wind daarentegen meer van stuur-

boord in, dan is de stuurboordskant voordeliger. Goed gezien is bijna altijd het uiterste punt van de startlijn de ideale positie, dus de bakboord- of stuurboordsbegrenzing ervan. Want slechts in ca. 5 van de 100 wedstrijden waait de wind precies onder een rechte hoek met de startlijn. In die enkele gevallen zou het niets uitmaken, op welke plaats men start. Naast invloeden als stroom, spelen echter ook tactische overwegingen voor het opkruisen na de start een rol, waarbij meestal een bepaalde kant van de baan de gunstigste wordt geacht.

Meestal staat de wind toch niet precies loodrecht op de startlijn, zodat het afwegen van de mogelijkheden bijna altijd erop uitdraait dat men zal starten op het gunstigste punt van de startlijn, óf dat men van dit voordeel liever afziet en de wedstrijd op de gunstigste plaats voor het opkruisen begint; daarbij kan het

Staat de wind - zoals op deze tekening - precies haaks op de startlijn, dan maakt het niet uit op welk punt van de lijn men start. Dan moet men zijn startpositie laten afhangen van de beste richting voor het daarop volgende

opkruisen.
Anders moet men - wanneer er geen andere grondige bezwaren zijn - daar starten waar de wind vandaan komt. A ligt reeds weinig minuten na de start ver voor op B.

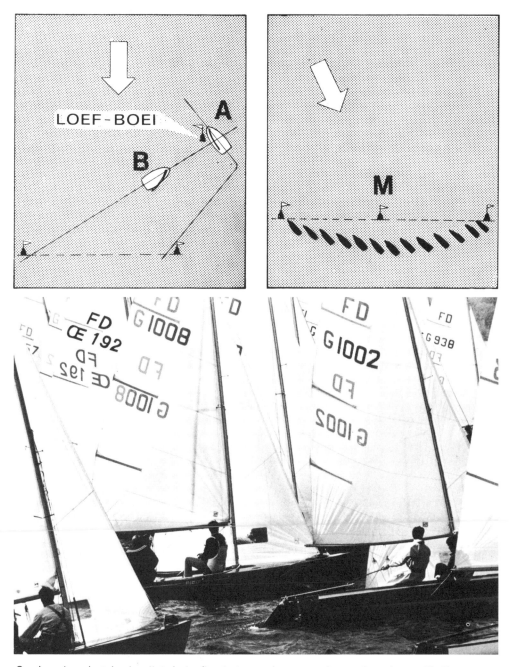

Op de volgende tekening ligt de loefboei niet precies loodrecht boven het midden van de startlijn. B moet met een knik in de schoten de boei bezeilen. A kan opkruisen en bereikt hem zodoende eerder dan B. De laatste tekening laat zien hoe de boten in het mid-

den meestal ver achter de startlijn liggen wanneer de boeien aan de uiteinden ver uit elkaar liggen; een boei in het midden van de startlijn is dan een goede hulp bij het starten. Op de onderste foto de start van zo'n reuzenveld.

119

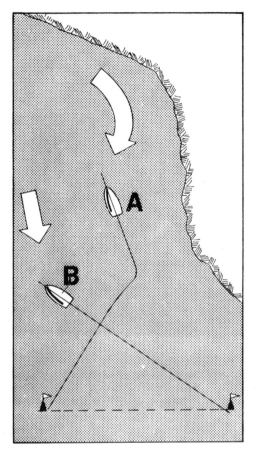

mogelijk zijn dat de optimale startpositie en de daarop aansluitende beste laveerkoers samenvallen. In dat geval is de beslissing duidelijk. Wanneer ze echter niet met elkaar overeenkomen, dan zal de beslissing eerder ten gunste van de betere startpositie uitvallen. Na de start moet men dan echter zo snel mogelijk naar de beste laveerkant.

Nadat de bemanning het hierover met elkaar eens is, wordt het voorbereidingsschot afgewacht dat 5 minuten na het

Vóór de start moet men al weten, hoe men verder wil opkruisen. A heeft hier de windrichting goed uitgebuit en zeilt vlak onder de wal in een voordelig draaiende wind. Na overstag gaan ligt A ver voor op B.

Deze foto laat zien hoeveel men kan winnen als de keerboeien goed worden genomen. De 470 helemaal rechts heeft de grootste bocht om de boei gemaakt en daardoor ook de meeste hoogte verloren.

121

Bij een start in een klein veld kan men eerder een keer iets wagen, want dan heeft men meer kans om een eventuele fout weer goed te kunnen maken.

De onderste foto laat de ideale verdedigingspositie zien. Korsar G 1527 ligt duidelijk voor op G 1216; in deze situatie kan hij alle aanvallen van G 1216 met succes afslaan.

tijdschot komt. Eventuele verschillen in de tijdopname kunnen nu nog worden gecorrigeerd. Met het begin van de voorbereidingstijd wordt niet alleen de te zeilen baan aangegeven, maar op dit moment wordt ook het wedstrijdreglement van kracht. Men zal zich nu helemaal op de gekozen startpositie concentreren en wel des te eerder, naarmate de wind zwakker is. Want niet zelden flauwt de wind in de voorbereidingstijd af en dan bereikt men de gunstigste startpositie niet meer. Natuurlijk kan dit optimale punt bij een eventuele verandering van de windrichting ook nog vlak voor de start veranderen, zodat men zich er niet te veel op moet blindstaren.

En nu naar de eigenlijke start. De belangrijkste regel luidt nu: bij het startschot met zo veel mogelijk vaart over de lijn gaan en direct daarna zo vrij en ongehinderd mogelijk zien weg te zeilen. Om de nodige vaart te krijgen moet men enige seconden voor de start wat afvallen en sneller gaan varen. Dat wil dus zeggen, dat men vlak voor de start voldoende afstand tot de aan lij liggende boten moet hebben. Deze veiligheidsmarge is uiterst belangrijk, want die alleen zorgt ervoor dat men ook ná de start de zeilen vol kan houden en niet 'omhoog moet knijpen' om vrij te komen van de vuile wind van de aan lij zeilende boten. In principe moet men erop letten, dat er ook aan loef wat ruimte is, want dan hoeft men bij een eventueel mislukte start niet hopeloos in het veld te blijven hangen, maar kan men overstag gaan en proberen door opkruisen vrij te komen. Want als men dadelijk na de start tot de weinigen behoort die vrije wind hebben - dan heeft men reeds alle troeven in handen.

De Wedstrijdbaan

Ook na de start geldt het devies: zoveel mogelijk vrij en ongehinderd door de konkurrenten de baan zo afzeilen, als men juist acht. De behoefte aan vrije, ongestoorde wind mag er overigens niet toe leiden, dat men door extreme slagen te ver van zijn konkurrenten afkomt (behalve naar voren). Dat is hoogstens aan te raden als men uitzichtloos aan de staart van het veld hangt en zijn positie alleen nog maar kan verbeteren. Anders moeten de slagen zo worden gekozen dat men weliswaar daar opkruist, waar de beste omstandigheden zijn te verwachten, maar van de andere kant er ook op bedacht is dat men bij een eventuele ongunstige windschifting zo weinig mogelijk achter raakt. Het heeft ook weinig zin om met de nabij liggende konkurrenten te bakkelijen en daardoor het overige veld uit het oog te verliezen. Een goede zeiler onderscheidt zich juist doordat hij steeds het overzicht houdt. De optimale koers, zoals die aan de ene kant door de wind, aan de andere kant door de concurrenten wordt bepaald, vereist bijna steeds zekere compromissen.

Hoe blijf ik in conditie?

De zwaardbootzeiler heeft niets aan zijn technische kennis, als hij die niet kan gebruiken door onvoldoende lichaamsconditie. Dit laatste wordt maar al te vaak onderschat. Daarbij zal het duidelijk zijn, dat een zwaardbootbemanning zonder voldoende conditie bij meer dan windkracht 3 al niet meer in staat is om de maximale snelheid uit de boot te halen - alleen al omdat het reactie- en het concentratievermogen afnemen. Natuurlijk is de bemanning dan ook niet meer in staat om zo effectief mogelijk buitenboord te hangen. Een zinvol, speciaal voor de zwaardbootzeiler samengesteld trainingsprogramma is daarom voor degene die het met zijn sport serieus neemt geen zinloze kreet - tenzij hij om andere redenen al genoeg aan zijn conditie doet.

Omdat een zwaardbootzeiler echter - vergeleken met andere sportbeoefenaars - aan heel verschillende belastingen wordt blootgesteld, zal het in ieder geval nuttig zijn om te weten, waar het bij de lichamelijke training in de eerste plaats op aan komt. Zo moet de zeiler zich bij weinig wind langzaam en soepel kunnen bewegen, om de trim van de boot niet te beïnvloeden. Bovendien moet hij bij dit weer lang en rustig op een plaats kunnen blijven zitten - zonder dat het concentratievermogen eronder lijdt. Bij harde wind gaat het erom dat hij het buitenboordhangen zo lang mogelijk kan volhouden en daarbij tevens nog veel kracht kan ontwikkelen. Tijdens manoeuvres moet de zeiler zich dan ineens weer snel en veilig kunnen bewegen.

Het komt er dus ook op aan inspanningen lang vol te houden en tevens een zekere 'bliksemkracht' te ontwikkelen. Iedere krachtsinspanning moet met zoveel mogelijk feeling verlopen en beide zeilers, vooral de trapezeman, moeten een uitgesproken evenwichtsgevoel hebben. De

'Trapezestand' en 'hangzit', de voor zwaardbootbemanningen gebruikelijke houdingen, stellen de zeilers bloot aan allerlei zware belastingen.

125

typische houdingen bij het zeilen zijn de
'hangzit' van de stuurman (en ook van de
fokkemaat bij boten zonder trapeze) en
de 'trapezestand' van de fokkemaat.
Vooral op de benen, de buikspieren, de
armen en de rug komt het aan.

Er zijn talloze trainingsprogramma's, die
echter bijna allemaal alleen in gymnas-
tiekzalen uitgevoerd kunnen worden en
waarvoor een sportleraar nodig is. Maar
ook een heel algemene conditietraining
zoals skigymnastiek is beslist goed. De
zeiler heeft echter ook thuis de mogelijkheid een klein trainingsprogramma af te
werken en niet alleen in de tijd dat er
niet wordt gezeild. Ook 's zomers kan
men behalve het zeilen nog meer aan de
verbetering van de conditie doen, ook al
is het maar een beknopt trainingsprogramma. Men kan het beste twee tot vier maal
per week trainen - of iedere dag, maar
dan korter, en bij één à twee maal per
week intensiever en langer. Een training
moet ca. 15 - 50 min. duren, liefst bij het
open raam om genoeg zuurstof in de
longen te krijgen. De training wordt
voorafgegaan door wat 'losmaakoefe-
ningen' waardoor de spieren warm worden en de pezen en de banden oprekken.
Om de training volledig te maken moet
men zeker ook een bosloop maken. Men
kan het beste een aangepast trainingsprogramma opstellen in overleg met de
coach van de zeilvereniging of met een
sportleraar.

*Modern zwaardbootzeilen is langzamerhand
echte topsport geworden; wie niet de daarvoor noodzakelijke lichamelijke en mentale
conditie verwerft, zal zijn boot ook niet goed
kunnen beheersen.*